新 潮 文 庫

生命の木の下で

多田富雄著

新 潮 社 版

8687

目次

生命の木の下で

第一章　生命の木の下で

一、ドゴンへの道

トントン・ディックの日本庭園

マリ共和国の首都バマコの空港で、長い入国手続きにイライラしながらガラス越しに待合室を眺めると、ベンチに腰掛けて雑誌を読んでいる小柄な東洋人の姿が目についた。日焼けした顔、短い白髪、洗いざらしの開襟《かいきん》シャツを着て、静かに雑誌に目を走らせている。

やっと手続きをすませて待合室に入ると、さっきの東洋人が近づいてきた。きれいな英語で、マリ大学から私たちを出迎えに来たリチャード・S博士と名乗って、てきぱきと黒人の運転手に荷物を運ばせた。建物の外は照りつけるアフリカの太陽で、二月というのに気温は摂氏三十五度を超えていた。

S博士のおかげで、私たちの車はあっという間に国立マリ大学医学部の宿舎に着いた。これから一週間、私たちはこの国のマラリア対策の現場を視察する。

マリで唯一《ゆいいつ》の医科大学は、ポアンGと呼ばれる市の北方の小高い丘の上にあった。校門の前の空き地にはいくつもの屋台が立ち並び、はだしの人々が集まっている。屋台の周りを山羊《やぎ》や鶏が走り回り、ちょっとした集落の風景である。舗装《ほそう》されていない構内は、車が通るたびにひどい土埃《つちぼこり》をあげる。構内に建設中のブロック壁の建物が、照りつける太陽の熱線を跳ね返す。アカシアのような木が数本立っている殺風景なコンクリートの校舎から、黒人の学生たちが流れ出て来た。ちょうど講義が終ったところらしい。

私たちの宿舎はキャンパスの南端にあった。ブーゲンビリアが絡《から》み付く塀に囲まれた新しい宿舎は、十坪ほどの中庭を囲んで広い談話室と食堂、そして十室ほどの寝室を持つ。共同のシャワーと便所も清潔で、寝室の天井から下がった大きな扇風機が熱風をかき回していた。

S博士は私たちを部屋に案内して、使用説明をすると、無駄なことは言わずに物静かに立ち去った。さっき空港の待合室で読んでいたのは、英国の科学雑誌「ネーチャー」の最新号であった。それにしても、日系アメリカ人のS博士がどうしてこのバマコに居るのだろうか。それもほとんど昔からの住人のように。

同行したニューヨーク大学の寄生虫学者T君によると、S博士はアメリカの国立衛生研究所（NIH）の職員で、マラリアを媒介する蚊の研究をしていると言う。NIHの行なっているマリ大学のマラリア研究支援プロジェクトの責任者として、十年来ここに単身で赴任している。年齢は七十歳ぐらい、独身。バマコの下町に住み、毎日設備の乏しい研究室に通い、現地の研究者といっしょに蚊の研究をしている。それ以上のことは知らない。S博士自身、自分のことをあまり喋《しゃべ》らないからだ。

私は部屋に侵入した蚊と終夜戦いながら、この謎《なぞ》の日系人のことを考えた。小柄で痩《や》せた体、アイロンのかかった開襟シャツの胸ポケットにはいつも皮の眼鏡ケースがきちんと収まっている。日焼けした皺《しわ》を刻んだ厳しい顔と、短く刈り揃《そろ》えた白髪。静けさをたたえた眼。そして流暢《りゅうちょう》なフランス語で、現地の運転手や学生に物静かに指示を与えている。彼をこの貧しいアフリカの地に連れてきたのは何だろうか。

私はこの宿舎に滞在中、折にふれてS博士に身の上を訊《たず》ねた。控え目に淡々と語った話を総合すると、彼はハワイで日系二世として生まれ、アメリカの大学を卒業して

ＮＩＨの研究員となった。その後十年間パキスタンで研究に従事し、マリには十年余り前に来た。マリはマラリアの多発地帯だ。世界で五億人が感染し、毎年二百万人が死ぬ熱帯伝染病のマラリア。その研究には地球規模での取り組みが必要である。欧米も日本も、アフリカの研究を援助している。Ｓ博士はその先兵だったのだ。

私はやがてＳ博士が、この大学で「トントン・ディック」という名で呼ばれていることを知った。フランス語でトントンは、「おじさん」という意味、だから「ディック（リチャード）おじさん」という愛称である。その名の通り、Ｓ博士は大学のあらゆる人たちから慕われていた。ＮＩＨからの援助金の使い方、研究の指導、共同研究の取りまとめ、外国から来た学者の生活の世話に至るまで、嫌な顔ひとつせずに引き受けている。この途方もなく非能率的な国では、トントン・ディックなしには何事も進まない。私もどれだけ彼の世話になったことか。

Ｓ博士は、一九六〇年代の初め日本に一年ほど滞在したことがあるが、日本語は全く話せない。彼の半生は、ＮＩＨのマラリア対策プロジェクトのため、アメリカと流行国との間を往き来して研究指導に当たることに終始した。そして最後のマリ滞在が一番長くなった。今年引退を予定していたが、いま建設中の研究棟が完成するまではそれもできないと言う。その建築も半年以上遅れている。

この十年の間、マリは大きな転換期を経験した。一九九三年には、大規模な学生運動が起こり、クーデターがあった。政変も、旱魃《かんばつ》も、経済危機もあった。私のわずか一週間の滞在でも、外国人がこの国で暮らすことがどんなに大変であるかが実感できた。それがこの痩せた体で十年余にも及んだのだ。

世界で最も恐れられている伝染病はマラリアである。マラリアの病原体である原虫は、いま抗マラリア剤に対する抵抗性を獲得し、有効な治療法がない。ワクチン開発も暗礁《あんしよう》に乗り上げている。感染を媒介する蚊は、殺虫剤に抵抗性を持った。その蚊にどう対処するか。まさに蚊を専門に研究してきたS博士の出番である。

こうした現状に、流行地のみならず世界の先進国が強い危機感を抱いている。研究者を送り、研究費を援助し、地球規模での対策を進めようとしている。

金銭的援助だったらどの国でもできる。でもそれが有効に使われるためには、S博士のような人材が必要なのだ。それは息の長い辛抱強い努力を要する仕事である。

私は滞在中、トントン・ディックがこの宿舎の中庭に日本庭園を作っていることを知った。十坪ほどの四角い地面に黒っぽい粗い砂を敷き、白っぽい石をいくつか配置した。その間に万年草のような短い草を密生させ、何カ所かには羊歯《しだ》が葉を茂らせている。石にそって竹を二、三本植えた。石の上に鉄の灯籠《とうろう》が一つ。日本庭園は、ちょうど談話室から景観となって見える。トントン・ディックの手によるアフリカの枯山水である。

周りの建物が容赦ない太陽を遮ってくれるので、トントン・ディックの庭園はいつも静かな光を浴びていた。この建物もアメリカの援助で建てられたので、それを寄付したアメリカ人の名前がつけられている。私はこの小さな日本庭園を、「トントン・ディックの日本庭園」と名付けることを提案した。

一週間の滞在が終って、見送りに来たS博士にそのことを話すと、照れたように笑って、相手にしてはくれなかった。お別れの挨拶《あいさつ》をして私たちが車に乗り込むと、トントン・ディックはいつものように静かに手を振って別れた。ちょっと右肩を落とした開襟シャツの痩せた後姿が、アフリカの赤い夕陽の向こうに遠ざかっていった。

アフリカへ

人類はアフリカで生まれた。チンパンジーから直立二足歩行をする原人が分かれたのもアフリカだし、ネアンデルタール人に代表される旧人類も、われわれの直接の祖先である新人類（現生人類）も、アフリカの大地で生まれた。そして長い時間をかけて世界各地に散っていった。毛がなくなった人類が、どうして寒い北に向かって歩いて行ったのか、その理由は誰も知らない。

　私がアフリカと聞いて血が騒ぐのは、どこかにそういう父祖の血が流れているためなのか、あるいはすべての新しい物を産み出した暗黒大陸への本能的な渇仰《かつごう》がなせるわざなのか。アフリカの地を踏む度に、私は言い知れぬ胸の高鳴りを感じていた。

　ニューヨークのメトロポリタン美術館には、パプアニューギニアで謎の消息を絶ったマイケル・ロックフェラーのアフリカ民俗の膨大なコレクションがある。私が衝撃を受けたのは、部屋のほぼ中央に置かれた、斧《おの》のような刃物で彫り出された黒い木の人物像である。無表情な大きな目鼻に分厚い下唇、頭に何かをかぶっている。一見顔は老人のように見えるが、体は屈強な青年である。頭部に比して、屈曲した体はひどく短縮されている。両腕をダラリと下げ、胸には垂れ下がった三角形の乳房がはりついている。しかし下方に眼を転じると、軽く曲げた膝《ひざ》の間に巨大なペニスがぶら下がっている。すべての物を産み出したアフリカの大地の、両性具有の父であり、母である。

　この古い木の人体は、真っ黒に変色してツヤツヤと輝いていた。ペニスの亀頭《きとう》の部分は特に黒く光っている。私はしばらくその前に立ちつくした。

　十六世紀のドゴン族の作品であった。マリ共和国東部の乾いた山岳地帯に住む部族。

壮大な神話世界を今日まで伝え、キュービズムやシュールレアリズムにも影響を与えた彫像作品を数多く生み出したドゴン族。

私の脳裏には、このアフリカの両性具有者のイメージが長い間焼き付き、人類発祥の地アフリカへの夢をかき立てていた。「ドゴン族に会いに行こう」。それは私にとって、遠い父祖の地をたどる旅へのあこがれとなった。

それが実現したのは、新しいミレニアムが始まって間もない年の二月だった。カメルーンで開かれた国際会議に出席したついでに、マリ共和国のマラリア研究所を訪ね、足を延ばしてドゴンの国に行く。そういう計画だった。私にとってこれが四度目のアフリカ訪問である。

パリを発《た》った飛行機がカメルーンの首都ヤウンデに向けて機首を下げると、窓にアフリカの大地が広がった。低い灌木《かんぼく》の間に濛々《もうもう》とした褐色の地面が見え、粗末な家が点在している。遠景は靄《もや》のようなものに覆《おお》われ、白くぼやけていた。霧でも発生しているのだろうか。

いぶかっている私に、フランスから同行した友人が言った。「サハラの砂ですよ。いつも空はぼやけている」。サハラ砂漠までは、カメルーンから二千キロ以上も離れている。でも舞い上がった砂は、西アフリカの国々を越え、この国の空を覆いつくしていた。私はアフリカのスケールの大きさに改めて驚嘆した。

ヤウンデの空港で長々とした入国手続きをしているとガラスで仕切られた待合室から、大きな歓声が聞こえた。興奮したただならぬ声に何事かといぶかっていたとき、空港職員が走り込んできて叫んだ。「終った。勝った」

その日はアフリカネイションズカップの決勝戦で、カメルーンのサッカーチームが宿敵ナイジェリアを倒したのだ。入国検査官をはじめ、空港の誰もが興奮していた。

待合室に入ると、テレビの前に熱狂した人々の群れがあった。ひどく見にくいテレビの画面に黄色いシャツを着た選手の姿が映った。ひと言ふた言しゃべって腕を眼にあてて泣いた。群衆の何人かも泣いていた。

私たちは、迎えのバスに乗り込んで、暗い道に出た。電灯が点《つ》いた辻《つじ》に出ると、熱狂した人々が道路にあふれて出た。バスの窓をドンドンとたたき、歓声をあげる。バスの屋根まで上って奇声を発する青年もいた。

暗いヤウンデの中心街にも人々が繰り出している。町の中心にあるホテルの前は、むき出しの地面の真っ暗な広場があり、周囲には政府関係のビルが立ち並ぶ。でもこの一画を除けば低い粗末な家々が延々と連なっている。ホテルの窓からは、幾団もの人々がドラムをたたき歌いながら行進してくるのが見えた。そして興奮した群衆の祝祭は朝まで続いた。

驚いたことに、翌日は急遽《きゅうきょ》国民の祝日に変わった。会社も官庁も休みになった。私たちは閑散としたホテルで会議を開き、ウェイターのいない食堂でコーヒーを飲んだ。町には人があふれていたが、辻々には鉄砲を肩にした兵士の姿が見えた。空は相変わらずサハラの砂で白く濁っていた。

これが、アフリカ到着の第一日だった。カメルーン。千四百万人の人口をかかえ、英語圏とフランス語圏のはざまに位置し、貧困にあえぎ、社会不安をかかえたアフリカ中部の国。砂漠から熱帯雨林までの多様な植生を持ち、四千メートルを超えるカメルーン山からどこまでも続く砂漠まで、あらゆるアフリカの風土が凝縮した国。

町に一人で出ることは止められていたが、私はホテルの前の広場を突っ切って向かいの市場まで行った。悪臭が瘴気《しょうき》のようにただようあたり、物売りたちがひしめいていた。東洋人は珍しいらしく、時々「ニーハオ」と声をかけられる。そういえば、学会の開かれた会議場の建物は中国政府の協力で建てられたと聞いた。

汚水が流れる市場の道を、破れたズボンに上半身裸の男たちが行き交う。派手な布地をゆったりとまとい、共布で髪を覆った大柄な女性が、道端に腰を下ろして少しばかりの青いバナナを売っている。やはり共布で、大きな尻《しり》の上に子供を背負った女や、頭に物を入れたバケツを載せた女が行く。ドラム缶の上に魚を焼く煙が上り、周囲を男たちが取り囲んでいる。それは活気に満ちているのか、それとも無気力が充満しているのか判別のつかぬ風景だった。

大いなる尻を持つ女たちと、大胸筋の発達した男たち、そして彼女らの生んだ千の子供たちのアフリカに希望はあるのか。ここで生まれた人類の、はるかな子孫たちに未来はあるのか。私のアフリカの旅はこうして始まった。

ドゴンへの道

朝九時という約束なので、ホテルで待っていた。でも十一時になっても連絡がない。私たちは今日、マリ共和国の首都バマコを発って、ニジェール川の約六百キロ下流の町モプティへ車で出発することになっている。モプティからさらに百キロほどの山地に、私たちが目指すドゴンの里がある。アフリカの中のアフリカ、私が人類の先祖に擬しているドゴン族が暮らしている村である。この国で最も人口が多いバンバラ族が経営している旅行社には、昨日すべて話をつけておいた。それに社長のアマドウ・トラオーレ氏には、日本から知人を介して前もって連絡してあった。彼が、運転手つきの車を手配しておいてくれたはずなのである。

会社に電話をしたが埒《らち》があかない。旅行社のオフィスまで訪ねて行ったが、アマドウさんは別の旅行客を迎えに、空港に行ってしまっていた。社員の女性が、とにかく午後三時までには必ず車を廻すというので、いったん宿舎に引き上げることにした。

日中の気温は三十五度を超える。ゆっくりと廻る天井の扇風機が空気をかき廻してくれる下で、ソファに寝そべってひたすら待ったが、三時を過ぎても連絡がない。私も少しイライラしてきた。何しろ今日中に、ドゴンの里の手前の都市モプティか、少なくともその近くの町までは行かなければならない。

そのうちとうとう六時になってしまった。太陽は向かいの崩れかかったビルに隠れようとしている。もう今日は駄目らしい。とうとう丸一日無駄にしてしまった。

その時、部屋のベルがなった。屈強な黒人の男が二人立っている。フランス語でバンバラ旅行社から来たと言っている。

私もT君も相手をなじるほどフランス語が達者ではない。それに片方は、髪を短く刈ってあごひげをはやした、怖い顔つきの男だった。これが運転手のアマドウだった。もう一人は支払いの現金を貰《もら》ったら会社に帰らなければクビになると言っている。電話ではクレジットカードでよいと言ったのに。

私たちは途方にくれてしまった。そんなに現金は持っていない。マリ大学にいる日系アメリカ人、トントン・ディックに助けを求め、やっとお金を借りて支払いをすませた。トントン・ディックは、怒っている私たちに、「ここはニューヨークでも東京でもない。アフリカです」とだけ言った。

それにしても、もう日が暮れてしまった。どうやって次の町までたどりつけるのだろうか。私たちはあきらめて車に乗り込んだ。怖い顔のアマドウには英語が全く通じない。これから彼といっしょに何日もの旅を続けなければならない。どうやって意思を通じさせようか。ボール箱いっぱいのミネラルウォーターだけが頼りだった。

そんな心配をよそに、車は暗くなった町を後にした。不安でいっぱいの私たちを乗せた車は、真っ暗な一本道を東へとひた走った。

怖い顔で黙っていた運転手のアマドウが、しばらくたってぼそりと話しかけてきた。片言のフランス語で、恐る恐る「今夜はどこに泊まるの」と聞くと、次の町は約二百キロ離れたセグという町で、ホテルは予約してある、大丈夫と言った。もう時計は九時をまわっていた。運を天にまかせるしかない。

しばらく闇《やみ》の一本道を走ると、前方の丘の上がぼうっと明るくなった。間もなく大きな月が、まるで立ちはだかるように丘の上に昇った。完全無欠な満月である。アフリカの月は、周囲の空を青々と染め、乾いた荒地に立つバオバブの木の影をくっきりと浮かび上がらせた。そのふしぎな風景が、私たちの心を少し和らげた。それに怖そうな顔のアマドウが、実は心の優しい青年であることがだんだんわかってきた。

あたりのどこにも灯は点いていなかった。ここには電気がきていない。でも道端には黒い人影が動いているのが見えた。小さな村らしく、石油ランプをつけた屋台に人々が集まっていた。何かを売っているらしい。アマドウが「シャルボン」という。車内灯でフランス語の辞書をひくと、「木炭」のことだった。灌木を切って炭を焼き、道端で一山いくらで売っている。電気もガスもないこのあたりの村では、木炭が煮炊《にた》きの必需品なのだ。

そういう屋台が道路の傍らのあちこちにあった。ランプの周囲には、必ず大勢の人影が集まっていた。十時を過ぎているのに村は寝静まったわけではない。電気がなくても、人々は集い、お喋《しゃべ》りをし、夜更《よふ》かしをして楽しんでいるのだ。集うのは人間の本性らしい。

アマドウがテープの音楽をかけた。単調な二拍子のドラムの音が車内に広がった。弦楽器が合いの手を入れ、中年の女性の歌が入る。日本の「野球拳《けん》」のメロディーに似たふしぎな繰り返し。弦の音は津軽三味線に似ていた。それが高まることもなく延々と続く。

月が真上に昇るとかすかに星が見えるようになった。ひどく色薄く頼りなかったが、地球が無数の星々に囲まれて漂っているのがわかった。私たちの車は、アフリカののうい音楽に包まれて大地をひた走った。

十二時過ぎ、私たちの車はセグの町に入った。多少道幅が広くなり、貧しい木造の家が散在している。道路には人影もない。予約したホテルに行ったが、今夜は観光バスが着いたので、泊まれないという。予約など通っていなかったのだ。さあどうしよう。

アマドウはすぐに諦《あきら》めて別のホテルに車を走らせた。インデペンデンス・ホテルという木賃宿である。門を閉めようとしていたホテルに、かろうじて飛び込んだ。レストランが終ってしまうから、すぐ食堂に行けと促されてテーブルに着いた。定食は薄いステーキ。まずビールで喉《のど》を潤《うるお》し、カリカリに焼いて周りがそり返ったステーキにかぶりついた。硬い肉だが滅法おいしい。私たちはものも言わずにビールをあおり、ステーキをむさぼった。

コンクリート壁のガランとした部屋に落ち着き、持参した蚊取り線香に火をつけ、木のベッドに腰をかけて同行した妻と顔を見合わせた。アマドウは、外の広場に車を停めて、その中で寝るらしい。

どうもすごい展開になったものだ。こんなことになるなどとは予想もしなかった。果たしてドゴンの村まで行き着けるのだろうか。


アフリカの朝の空気の爽《さわ》やかさ。昨日の熱気と埃《ほこり》は、一夜のうちに大地に吸収され、浄化された空気が水平な朝の光とともに地表を覆う。息を吹き返したアカシヤの葉を風がそよがせる。小鳥の喜びの声が沸き上がる。

一夜の睡眠で、私の体のすべての細胞は生き返っていた。駐車場のむき出しの蛇口で、運転手のアマドウが片手で顔を洗っている。手をあげると、真っ黒なひげ面《づら》がこちらを向いて笑った。

さあ今日は午前中に四百キロ以上走って、ニジェール川下流の町モプティまで着かなければならない。私たちの車は朝の光をついて、鋪装《ほそう》のはげたハイウェイを東へと突っ走った。いまは乾季、黄色い枯れ草に覆われた大地がどんどん後へ飛び去って行く。ところどころ突っ立っているのは、神経線維のような短い枝を空中に広げたバオバブの木である。このまま真っすぐ行くと、国境を越えてブルキナ・ファソに入る。

その時車がグラリと傾き、車輪がきしるような音をたてた。パンクだ。車を止めると、タイヤから煙が上がっている。

　幸運にもスペアタイヤがあった。パンクしたタイヤが冷えるのを待って、交換にかかった。スペアタイヤもツルツルにすり減っている。あたりに人家はないのに、どこからともなく村人たちが現われ、みんなでジャッキを上げたりして手伝ってくれる。そのうち子供たちも周りを取り巻いた。山羊《やぎ》も混じって、このあたりでは珍しい事件を見物している。私は道端に立って、アフリカの朝の空気を思い切り吸い込んだ。

　総がかりで手伝ってくれた村人に手を振って別れ、車は再び東へと向かった。途中大きな村に入った。道路に人や家畜があふれている。アマドウが生まれた村だという。大柄な青年が近寄ってきた。アマドウの腹違いの弟だった。ここは一夫多妻。いろいろな兄弟がいる。何カ月ぶりかの再会を、抱き合って喜んでいる。道端に市が立って、目もあやな布地の服を着たおしゃれな女たちが集まっている。カメルーンと違って、子供は尻の上ではなく背中に共布で括《くく》り付ける。私たちは、偶然出会った生き生きしたアフリカの村の暮らしにすっかり魅了された。

　村を過ぎるとまた単調な道が延々と続いた。すっかり道草をくってしまった。およそ三時間も走ったころ、枯れ草で屋根を葺《ふ》いた民家の一群が見えてきた。

　アマドウが、「モプティ」と前方を指さした瞬間、窓から異様な臭《にお》いが侵入してきた。臭いは町に近づくにつれてますます濃くなり、ほとんど耐えられぬ悪臭となった。何だろう。

車が突然停車した。悪臭の真っただ中の空き地である。「着いた。行こう」。アマドウが目くばせする。車から飛び降りると、シャツ一枚の子供たちが大勢駆け寄ってきた。何かを売り付けるつもりだ。アマドウは子供たちを無視してどんどん進む。私たちも小走りにあとに従った。

細い道の両側に、黒い物を山積みにした大きな笊《ざる》が並んでいた。十センチほどの干魚だった。それにびっしりと蠅《はえ》がたかっている。数キロ先まで臭った悪臭の本体はこれだった。女たちがしゃがんで、通行人に声をかけながら売っていた。干魚はこのあたりの貴重な蛋白源《たんぱくげん》だ。しかしこの悪臭は何というべきか。

行く手の土手に登った瞬間、私はアッと言った。突然巨大な灰黄色の水面が眼前に広がったのだ。ニジェール川だ。川幅は百メートルにもおよんでゆったりと流れ、まるで湖のように見えた。サハラの砂で曇った空も川も大地も、同じ黄色っぽい灰色一色で境がなかった。

土手は支流のもので、その先端はニジェール川に向かって突き出していた。支流の河口が港になって、土手は岸壁につながっていたのだ。港には何百という細い三日月形の船がもやったり、漕《こ》ぎ出したりしていた。黒い小舟には、長い棹《さお》を持った船頭と船客がまるで針金細工のような影絵となって、川の巨大なスクリーンに浮かんだ。

そして突堤の先端に、バー・ボゾというレストランは載っていたのだ。ボゾ族はこのあたりの川魚漁で生計をたててきた部族の名である。バンバラ族よりは体が小さい。モプティに来た者は誰も、この突堤のことを一生忘れないだろう。それほど印象的な風景なのだ。レストランといってもコンクリートの床に日除《ひよ》けの天幕を立て、テーブルと椅子《いす》を並べただけである。私たちは港に面した岸壁の端にテーブルをとった。

眼下には、今しも大型の丸い幌《ほろ》をつけた貨物船が着いて、大きな積荷を下ろしている。大きな笊にさっきの干魚が山積みになっている。魚を選り分ける女たち。積荷を屈強な男たちが運ぶ。野菜や果物、そして山羊や鶏の籠《かご》も荷揚げされていた。積荷を分配された細い小舟が、再び忙しそうに川に向かって漕ぎ出す。

港の対岸にも何百もの小舟が接岸している。平らな岸辺は、そのまま市場になっているらしく、天幕が並んでいるのが見える。

私たちは、ニジェール川の風景のすごさに圧倒されながら昼食をとった。カピタンという川魚の切身のフライ。大きなスズキのような魚だ。切り身にして焼いたり煮たりして食べる。私は川魚は嫌いだが、この魚だけは食べられる。ピリピリというホットソースをつけて。

しかし何というおびただしい数の蠅だろうか。コカコーラの瓶など、栓を開けておくとみるみるうちに蠅が飛び込んで真っ黒になる。私たちは瓶の口を手で覆《おお》いながら、舌つづみを打った。

食べ終って、あっと気づいた。あれほど強烈だった干魚の悪臭がいまは気にならなくなっていたのだ。あれを嗅《か》いで、もう魚は食べられないと思ったのに、カピタンのフライを食べてしまったではないか。

日が傾いてニジェール川の川面《かわも》がキラキラと光り、川舟の影が濃くなった。私はこの風景を何枚もカメラにおさめ、再び物売りたちをかきわけながら車に戻った。ここからハイウェイをそれて、日のあるうちにドゴンの里に近いバンディアガラという村に着かねばならぬ。スペアタイヤが急に心配になった。

モプティを発《た》った私たちの車は、舗装のない道を、ドゴンの里の入り口、バンディアガラの町に向かってひた走った。対向車があれば、一キロも先からものすごい砂塵《さじん》が見えた。荒地を七十キロも走ったところで、ようやく掘っ立て小屋の一群が現われた。バンディアガラの町らしい。しばらく進むと、空き地を隔てた先に奇妙な建物が見えてきた。

石を積み上げた黄色っぽい円形のドームのようなものが連なっている。私たちが予約しておいたホテル、シュヴァル・ブランであった。日は傾いたが、とにかくバンディアガラまで着くことができた。

喜び勇んで入って行ったが、運転手のアマドウの様子がおかしい。首都のバマコから電話予約を入れておいたはずなのに、満室で泊まれないというのだ。経営者のスイス人の女性は、予約など入っていない、観光バスが着いたので、空室は一つもないとにべもない。

困った。ちゃんとしたホテルはここしかないはずだ。

そうだ。この町に国立マリ大学から派遣された医者がいると聞いてきた。マラリアの民間療法の研究所があるのだ。そこに行って相談しよう。

私たちは道を訊《たず》ねながら、研究所を捜し当てた。やはり円形のドームを連ねた特異な造りの建物である。もう入り口は閉まって、中には誰もいないらしい。

門扉《もんぴ》をガタガタさせているところに、自転車に乗った十五、六歳の屈強な少年が現われた。事情を話すと、少年は自分の家はホテルだからそこに泊まれという。天の助けか。私たちは少年に従って彼の家に向かった。

コンクリートの荒れ果てた倉庫のような建物だった。なるほど、ホテルの小さな看板が出ている。モプティの実家に泊まるという運転手を帰して、私たちは残り少ない現金で宿泊料を前払いし、急な階段の二階の部屋に入った。ガランとした砂だらけの床に木のベッドが置かれ、天井から蚊よけのネットがぶら下がっている。便所もシャワーも屋外だ。

そのうちに階下の入り口あたりから、凄《すさ》まじい音量でラジオが鳴り響いた。何人もの屈強な少年たちが集まっている。上半身裸で、煙草《たばこ》をふかしたり体をゆすったりしている。白い眼がいっせいにこちらを向いた。

さっきの少年が、汚いノートを持って駆け上がってきた。自分はドゴンの公認のガイドだから、明日は自分を雇えという。日本人だって案内したことがある、といって日本語で書かれたページを開いた。でもそこには、この男を雇ったがロクなことはなかった、用心した方がいいと書いてあった。しつこく言うのを断ると、少年の顔が急に険悪になった。私は怖くなってきた。部屋には小さな鉄の窓しかない。ドアの鍵《かぎ》もかからない。同行したT君もすっかり怯《おび》えてしまった。

どうしようか。私たちは、逃げ出すことを決心した。まず、バマコの大学で聞いた研究所のドクターの自宅までT君が走って、助けを求める。そして研究所の中のどこでもいい、一室で一夜を明かすのだ。

マリ大学から赴任していたドクターは、すぐ車で迎えに来てくれた。私たちは大急ぎで荷物をまとめ、さっきの少年に今夜は泊まらないことを告げた。少年は明らかに不服そうで、お金は返さないと言った。もうそんなことはどうでもいい。胸筋の発達した猛々《たけだけ》しい少年たちの群れから離れて、私たちはほっとした。

私たちは、ドクターをさっきのホテルのレストランに夕食に誘った。ドクターの名はジャケッティ博士、背の低いガッチリしたバンバラ族の青年だ。高校卒業後、中国に留学して漢方を学んだ。いまはこの研究所で、ドゴン族に伝わる薬草の研究をしている。

マリ大学から、私たちが訪ねるという電話を受けたので、宿舎も用意してあると聞いて、私たちはにわかに元気になった。あの奇妙なドーム形の建物はイタリア政府の援助で、アフリカの薬草検索のために建てられたという。彼はこの町でたった一人の医者なので、ドゴン族にも顔が広く、ガイドは明日紹介してやると聞いて、私たちは天の助けに感謝した。

食事が終るころ、空は深い藍色《あいいろ》に変わり、星が煌《きらめ》いていた。ジャケッティ博士は私たちを研究所の宿舎に案内した。荒れ地の真ん中に建つドーム形の建物の一つが、来客用の宿舎だった。ベッドは木の簀《す》の子《こ》の上にマットが敷いてあるだけだが、さっきのホテルよりどれだけ安心なことか。ドームの先端に円い空気穴があって、枕元《まくらもと》の小さな網戸から入る夜の空気が空に抜けてゆくので、天然のクーラーになっていた。水だけのシャワーも気持ちがよかった。私は持参したスコッチを一杯飲んで横になったが、さっきのことが思い出されてなかなか寝つけなかった。

またまたすごい展開になってしまった。ホテルを逃げ出さなければならなくなるとは予想もしなかった。私は円形の天井を、ゆすり蚊のような虫がゆっくりと飛んでいるのを眺めていた。

そのとき突然電灯が消えた。そういえば、夜中は停電になるとジャケッティ博士が言っていた。しかし室内がひどく明るい。ドームの中央に開いた空気穴から、まるでビームライトのような強い光が差し込んでいたのだ。

外は月夜らしい。私は妻を起こして、ドアの外に出た。なんという凄《すご》い月明かりであろうか。二日前に満月を迎えた月がいま中天に昇って、皓々《こうこう》とした光をあたりに注いでいた。見渡す限りの大地が、霜に覆われたように発光していた。そこにドームの屋根が、黒い影絵となって浮かんでいた。

あたりは静まり返っていたが、耳を澄ますとふしぎな音が聞こえた。「サヤサヤ、サヤサヤ」。それはドームの裏側に生えたアカシアのような木の葉が、風にそよぐ音だった。

声も出ないまま、私たちはアフリカの月の下に立ちつくした。あまりの月の光に星は色を失い、はるか遠方にまたたいていた。いよいよ明日はドゴン族に会う。

ドゴン族との邂逅《かいこう》

いよいよ今日はドゴンの村へ行く。早朝目を覚ますと、オレンジ色の朝の光が荒地を水平になめていた。

「でも、運転手のアマドウと連絡が取れるだろうか」。裏の空き地で早々と用を済ませてきたT君が、ひどく爽《さわ》やかな顔で言った。何しろ昨夜はホテルを逃げ出して、この研究所に泊まったのだから。アマドウはそんなことを知るよしもない。

でもきっかり七時に、アマドウの車は来た。まず昨夜のホテルに行って、私たちがジャケッティ医師といっしょに出て行ったことを聞いて捜したという。

朝食は、水とビスケットだけ。ジャケッティ医師から、ドゴンで最も信頼のおけるガイド、セコウ・ドロさんを紹介してもらい、私たちは勇んで車に乗り込んだ。

ドゴン族の村までは約四十キロ、でこぼこの岩地を走らねばならない。私たちは座席にしがみついて突っ走った。

灰色の岩の間に、枯れ草が心細げにゆれている乾いた大地である。まれにバオバブの木が天に細い指を広げているほかは、灌木《かんぼく》まで黄灰色に枯れていた。しかし岩の間には、水が流れたあとがある。雨季には地表を大量の水が流れるらしい。山の渓流のように打ち重なった土石が、雨季の水のすごさを語っている。

突然砂利道の先に、緑の帯が現われた。行く手には橋も見える。細い一筋の川が流れ、両岸は畠《はたけ》になっている。灰色の大地に、チューブから絞り出した緑の絵の具でひと刷《は》きしたように、玉葱《たまねぎ》が芽を出している。何人もの少年が、大きな瓢簞《ひょうたん》を半分に切ったボウルで、川から水を汲《く》んで玉葱畠に運んでいる。ドゴン族の少年らしい。

しばらく行くと前方の大地が垂直に隆起した平らな山が現われた。数百メートルもある断崖《だんがい》を、何重もの地層が取り囲んでいる。

小高い丘を廻って、いよいよドゴンの里の入り口、サンガ村に入った。ドゴン族の村は、ここから崖《がけ》に沿って、ボンゴ、バナニ、イレリ、アマニなどの集落となって続く。

私たちはジャケッティ医師に紹介されたガイド、セコウ・ドロの家を訪ねた。白いワイシャツに幅の広いネクタイ、紺の背広という場違いな姿の男が現われ、自分はセコウの兄でこのあたりを取り仕切っているアブドウ・ドロと名乗った。セコウはいまスイスに行って不在なので、同じ弟のゴルシス・ドロを紹介するといって、ヨボヨボの老人のように見える一人の小柄な男を呼び出した。それがゴルシス・ドロだった。背が曲がり、手や脚は枯れ木のように細かった。前頭部が突き出たサイヅチ頭に、髪はほとんどない。引っ込んだ片目は真っ白に濁り、黄色い前歯が三本突き出ている。木綿のズボンにダブダブの丸首シャツ、そして大きな木のステッキをついていた。ああ、私はとうとうニューヨークの美術館で見た木彫の両性具有者《ヘルマフロディテ》のような老人に出会ったのである。

私たちはゴルシスに案内されてドゴンの村々を歩いた。焼け付く日光に曝《さら》されて、ゴルシスは身軽に断崖の石を飛び移りながら、崖の中腹の集落まで案内した。泥で固めた家々が、断崖の地層の裂け目にびっしりはり付いている。藁《わら》で三角の屋根をつけた四角や円柱状の家々が、断崖に何層にもなってつながっている。泥を固めて巣を作る地蜂《じばち》の類《たぐい》がいるが、その巣と同じようにほとんど完璧《かんぺき》な力学的構成で断崖にはり付いているのだ。生物が、遺伝的に持った本性に従って作り上げた構造のように思われた。

集落には、象や兎《うさぎ》、ライオン、トカゲ、ハイエナなどの動物を稚拙に浮き彫りにして彩色した土壁があった。兎の頭をした人間、異様に長い白い脚を持つ黒い女性の像など、かつてフランスの人類学者マルセル・グリオールが紹介して有名になった、ドゴンの神話の世界が描かれている。

隣りには、二層になった集会所があった。巨大な草葺《くさぶ》きの屋根を載せた二層目の太い石の柱には、ひどく脚の短い黒い男たちの像が刻まれている。宗教的儀式を行なうところらしい。二階には何人もの男たちが寝そべったり、しゃがんだりして喋《しゃべ》っている。

見下ろせば、どこまでも続く、砂と石の不毛の大地が広がっていた。ここからさらに百メートルも上の断崖には、いくつかの泥の家がはり付いている。死者の家であった。死者が出るとロープで吊《つ》り上げられ、上部の家に放置される。その上には、サハラの砂で濁った、乾いた空が広がっていた。

現代ヨーロッパの芸術に大きな影響を与えたドゴン族の神話の世界。私はとうとうそこにやって来た。それもあの木彫のような老人に案内されて。

岩の陰に休らって、ゴルシスはドゴンの村について語った。ドゴン族は十二世紀ごろ、イスラム教徒の支配を逃れてこの地に移動した。村にはテレム族という小人族が太古から住んでいたが、彼らを放逐したり、混血したりしてここに定住したらしい。

テレム族は絶滅してしまったが、崖の上の死者の家は、彼らが住んでいた所だ。両性具有の木彫などドゴンの芸術は、テレム族から受け継いだ。世界的に知られる、死者のマスクをつけるドゴンのダンスも、テレム族から教わった。そして民俗学の優れた対象となったドゴンの神話も、そのころから変わっていない。やはりここに来て、私たちは人類発祥の地の名残を見ることができたのだ。

私は、ゴルシスがまだ四十代の壮年であると聞かされびっくりした。容貌《ようぼう》はほとんど七十代の老人である。そして空を見上げる眼、長いステッキで地をついて歩む姿は、超越した老いた知者のようにさえ見えた。しかし彼の声はかぼそく低く、粟《あわ》で作ったコジョというビールを飲む姿は、矮小《わいしょう》な少年のようにも見えた。

それにしても、六十五歳を過ぎた私と、私よりはるかに老人に見える四十代のゴルシスに流れた時間の差は、そもそも何であったのか。私はドゴンの村で、時間と空間を旅する人間の姿を見たような気がした。

ブリキのトラック

ドゴン族の集落を巡って、再び村の入り口に戻ったころ、人々が列をなして近くの丘に上って行くのが見えた。今日は月曜日、午後にはドゴン族の定例の市が立つという。

近隣の村々から、物をかついだり頭に載せたりして、人々が集まってくる。石ころだらけの丘には、幾十もの露天の店が出ている。極彩色の服の女たちが何百人も細い通路にひしめいている。遠くから見ると、色とりどりのカンシャク玉をぶちまけたようである。

私たちも急いで丘に上った。売っているのは野菜やトウガラシ、玉葱、瓜《うり》、ミレットと呼ばれる黍《きび》。わずかながら赤いトマトの缶詰もあった。モプティで見た小魚の干したのや干し肉に混じって、巨大なイモ虫のような幼虫を真っ黒に干したのを大きな笊《ざる》に入れて売っている。その隣りでは、リスのような小動物をカラカラに乾したのをぶら下げて売っていた。

別の一画では、瓢簞を半分に切った柄杓《ひしゃく》やボウル、自転車の古タイヤ、ブリキ缶や派手なダンダラ模様がついた塩化ビニールのバケツ、木で作った櫛《くし》、笊などの日用品に人々が群がっている。色鮮やかな布地や服飾品をわずかに並べて商っている店。どれもほんの少々の品数だ。そしてドゴンのすばらしい藍染の布を、少女たちが売り歩の姿を見る立場があるが、私は「物売るひとびと」の姿からも世界を見ることができると思っている。どんな僻地《へきち》に行っても、たとえ売るものがほとんどなくても、人々は必ず物を売り、それを買う喜びを求めている。

南米の小さな田舎町に行ったとき、道端にしゃがんで、ひと摑《つか》みのトウガラシを新聞紙に載せて売っている老婆《ろうば》がいた。近くには商店があるので道行く人は見向きもしないが、老婆は何時間もそこに座って売っていた。物を売るのは人間の本能である。それが、現代の巨大な商業主義社会を作り出した根底にあったことを、私たちはすっかり忘れている。

私は、娘たちから適当に値切って藍染の布を何枚か買った。娘たちもなかなかしたたかだったが、私は久し振りに物を買う喜びを味わった。

夕暮れ、私たちはドゴンの里をあとにした。すっかり仲良くなった運転手アマドウの家族は、モプティに住んでいる。彼らの住むモプティの古い町を見てから近くのセバレという村に泊まることになった。

マンカン・テという小奇麗《こぎれい》な宿に着いて、私たちは幸福だった。念願のドゴン族に会い、人間の本性が作り出した泥の家々の力学的構造を眺めた。そして、あのメトロポリタン美術館で見た、木彫の両性具有者《ヘルマフロディテ》のような、サイヅチ頭の男と出会ったのだ。かすかに人類発祥の地の匂《にお》いを嗅《か》いだ。物売る人々の姿には、もう一つの普遍的な人間の本性を見た。その夜私の夢の中には、ドゴンの神話の生き物たちが駆け巡っていた。

翌朝、ドゴンへの旅の最後の日の早朝。アマドウは車の窓ガラスをきれいに洗って迎えに来た。昨日までと違って、晴れ晴れとした顔だ。今日は一日のうちに、古いイスラム教の町ジェンネに立ち寄り、首都バマコまで七百キロを突っ走る。

爽やかな日差しを浴びて、私たちの車はもと来たハイウェイを百キロほど走り、分かれ道を右にそれて、北に向かった。あたりは乾ききった黄色い枯れ草ばかり、鋪装《ほそう》のはげた道を車はひた走った。前方に黒い人影が見えたと思うと、背景は大きな灰色の川だった。

ジェンネの町は対岸にある。でも橋はない。向かいから大きな川船が、人と牛と自転車を乗せて渡って来た。フェリーというにはあまりにも貧弱な渡し船である。

でも近づいてみると車が二台は乗る。私たちの車と二〜三台の自転車、わずかな積荷、そして子供連れの大柄な母親、物売りの女や少年などを乗せて、船は岸を離れた。

対岸の船着き場は、泥に覆《おお》われた広場になっていた。私たちが車に乗り込もうとすると、十歳ぐらいの少年が駆《か》け寄って来た。破れたシャツに半ズボン、丸刈りの頭にまつげの長い大きな眼、何か叫びながら私たちを呼び止めた。胸に平らなボール箱を吊っている。中には長さ四〜五センチほどのブリキのトラックやブルドーザーが十台ほど入っている。それを買えと言っているらしい。

私は小さなトラックを手に取った。赤い缶詰の缶をたたいて延ばし、鋏《はさみ》で切り、折り曲げ、運転席と四角い荷台とを別々に作る。それを組み合わせ、やはり鋏で厚板ゴムを不器用に切った四つの車輪を付けたものだ。ブリキはトマトの缶詰をはがしたものらしく、イタリア語が印刷されている。屋根のあたりにはバーコードの端が見える。

そう書いてしまえば簡単だが、少年にとっては大変な作業だったろう。ギザギザの車輪に通した車軸は、古釘《ふるくぎ》を切ったものだ。でも白い模様が窓ガラスのあたりに出るよう工夫してあるし、車体の幌《ほろ》の後部は、上に隙間《すきま》が空いている。なかなか手が込んでいる。ブルドーザーは、ショベルが動くようになっている。

少年は私と商談を始めた。ほんのわずかの値段だった。でもあいにく小銭がなかった。大きなお金をあげるのは気がひける。

少年は私の胸ポケットを指さした。安物の二色ボールペンがある。私がこれでいいのかと聞くと、少年は大きく頷《うなず》いた。

ボールペンを渡し、私はよく出来たブルドーザーに手を伸ばした。すると少年は、それは駄目といって遮り、小さい方のトラックを私に押し付けた。ブルドーザーの方がいいと言うと、ではボールペンを二本くれと、真剣な顔で要求した。私も身振りでそれを拒否して、今度は少し大きい方のトラックを指さした。少年と私は売り手と買い手になって、しばらく押し問答を続けた。

ついに商談が成立、私は大きい方の幌つきトラックを手に入れた。少年は二色ボールペンの芯《しん》を代わる代わる出して確かめ、それから私の顔を見てニコッと満足そうに笑った。少年は「物売る人」の誇りを見せて立ち去った。

これを書いている机の片隅に、あのトマト缶の赤いトラックがひっそり置かれている。車体のポモドーロという黒い横書きの文字と、白い運転席の窓をこちらに向けて——。

泥のモスク

ジェンネは一言でいえば泥の町である。ニジェール川の支流が運んできた黄褐色の泥土を固めて家を建て、町を作り、大いなるモスクを建設した。町は乾いた泥一色に覆われている。

細い道が、泥の家々にポッカリあいた暗い入り口をそこに曝しながら続く。まるで迷路に迷い込んだようだ。道の中央がへこんで汚水が流れ、異臭が漂っている。誰もいないひっそりとした道を、素っ裸の黒い赤ちゃんが一人でよちよち歩いてきたりすると、別の次元に迷い込んだような気がして頭が混乱する。

でも家の中では、日々の生活が行なわれているらしい。入り口の土間には誰もいないが、奥ではかまどにくべた木が燃え上がって、赤子を背にした大柄な女の横顔を浮かび上がらせたりする。路地の日陰に女たちが集まっておしゃべりをしていたが、突然の侵入者である私たちを見つけて鋭い眼を向けた。

道が途切れた所で突然視界が開けた。正面に立ちはだかった建物を見て、私はアッと言った。手前は広場になって、泥の上に何本かの竹竿《たけざお》や棒杭《ぼうくい》が突っ立っているだけ。ビニール袋や布切れなどが散乱し、汚水が流れている。

その向こうに、低い土塀に囲まれた一段高い盛り土があって、その上に巨大な泥の建物が建っている。音に聞いた、ジェンネの泥のモスクである。何度か改修されてはいるが、十一世紀ごろから同じ形でここにある。古くからヨーロッパにも知られた異様な泥の建造物である。

スーダン様式というのだろうか。正面には泥を固めて作った巨大な三つの四角い塔のような構造物がある。塔の先端は鈍い円錐形《えんすいけい》になって空を突き刺している。塔と塔の間に日干しレンガを円柱状に積み上げた柱があって、これが建物の骨組みを作っている。あとは泥の壁で四周を囲っただけである。上部はやはり泥の屋根に覆われているらしい。

壁や尖塔《せんとう》には何列にもわたって多数の木の棒が水平に打ち込まれ、建物はトゲトゲの突起に覆われている。高さは二十メートルもあるだろうか。円柱の上部が尖《とが》った弾丸型になっているので、モスク全体が堅固な城砦《じょうさい》を思わせる。窓は全くない。入り口もここからは見えない。恐らく、盛り土の下に出入り口があるのだろう。

それにしても何という奇怪な建造物であろうか。泥で作ってあるため、すべてが鈍角という巨大なモスクが、壁や尖塔に木のトゲトゲをつけ、恐ろしいほどの存在感でアフリカの大地に突っ立っているのだ。まるでSFの要塞《ようさい》のように見える。私たちは近寄って息をのんで見上げた。

モスクの前に、白い痩《や》せた山羊《やぎ》が何頭も放されているが、あたりは踏み固められて、草も生えていない。昨日の月曜日には、この広場で大きな市が開かれたと、案内を頼んだジーンズの青年が言った。広場の竹竿や棒杭は屋台のあとだった。私たちは昨日見たドゴンの村の市と重ね合わせて、この広場で開かれた大きな市の賑《にぎ》わいを思い浮かべた。でも今日は、広場にはほとんど人影もなく、たまに頭にベールを被《かぶ》った女が子供の手を引いて広場を横切るばかりだった。

男たちはどこに消えてしまったのだろうか。午後の激しい日差しを避けて、いまのうちに農作業や家畜の世話をしているに違いない。モスクを一周して、再び迷路のような街に戻るころ、ちょうど昼食時らしく、長い貫頭衣を着た男たちがゆっくりと家路をたどっているのに出会った。頭巾《ずきん》を被り木の杖《つえ》を突きながら、泥の家の細道を歩いて行く。中天に昇った太陽が、泥の壁に濃い影を作っていた。

しばらく道をたどった時、土壁に囲まれたひときわ大きな家から、子供たちの声が聞こえた。入り口から覗《のぞ》くと、二十人余りの子供が地べたに座って紙を広げている。指でさしながら、声高に何かを読んでいる。

「コーランの学校です」と案内の青年が言った。この町には小学校も中学校もない。子供たちはコーランの学校に集まって、経典から読み書きを習う。先生はなかなか厳しいらしく、長いムチのようなものを持って、一人の子供を立たせて激しくなじっていた。

私はこの町が、昨日まで接していたドゴンの精霊の里とは違って、イスラム教が支配する世界に属していることに気づいた。イスラム教は、ニジェール川の流れに沿って広がり、原始の精霊を信じる人々を山の奥に追いやった。昨日行ったモプティの町にも、小さなスーダン様式のモスクがあった。

でもこの国では、二つの宗教の神々は互いにののしり合ったりしていない。村を追われて山に入ったドゴンの神は、いまも生き生きした神話の国を支配しているし、砂漠に町を建設したイスラムの神は、コーランの教えに忠実な子供たちを見守っている。私は、アフリカ諸国の中で例外的に安定したマリ共和国という国が、こうした神々の寛容の上に成り立っていることを実感した。

私たちは、日のあるうちに首都バマコまで戻らなければならなかった。帰りの車は、あの川を再び渡し船で渡り、バマコまで五百キロのハイウェイをひた走った。私たちはなぜか寡黙《かもく》になり、単調な荒野の風景が車窓を後に向かって飛び去ってゆくのを見つめていた。

バマコの町が近づいたころ、空が菫色《すみれいろ》に染まった。道幅が急に広くなり、すれ違う車も多くなった。ハイウェイから見下ろす住宅に、点々と灯りが点《つ》いていた。西洋文明が荒々しく、しかしひどく手抜きをしながら入り込んだバマコの町に戻ったのだ。

私たちは雑踏の町を抜けて、無事国立マリ大学の宿舎に帰り着いた。あの日系の寄生虫学者、トントン・ディックが待っていた。私たちが、どんな困難とぶつかりながら旅をしてきたかを、全部お見通しのような穏やかな笑顔を浮かべて。

私は、運転手のアマドゥに少々多いチップを手渡した。もう何だか他人のような気がしなかった。繰り返し礼を述べて、しかし堂々と去って行くアマドゥの、肩幅の広い後姿を見送ったあと、私はソファに沈み込んだ。まだ夢の続きをみているような気がした。

二、メーコック・ファームの昼と夜

タイの現実

「メーコック・ファーム」と名前の響きはのどかだが、アメリカ中西部の農業地帯ではない。北部タイ、チェンラーイ県の西北、ミャンマーとラオスに国境を接する通称「ゴールデン・トライアングル（黄金の三角地帯）」の近く、チェンラーイ市からは三十キロ余りメーコック川を遡《さかのぼ》った、山の中にある貧しいＮＧＯ（非政府組織）の小さな施設である。

私がこの施設のことを知ったのは、ＮＨＫの審議会で、Ｒ大学教授の竹原茂先生と出会ったからである。竹原先生はこのメーコック・ファームを創立した一人で、いまはこのプロジェクトの会長をしておられる。

竹原先生は、もともとはラオス人である。ラオス名をウドム・ラタナヴォンという。日本人の奥さんと結婚して、いまは日本に帰化している。

私は先生の過去のことを余り知らない。交換学生として日本に留学し、大学を卒業したあともラオスに帰ることはなかった。ラオス国内の政治問題から、ラオスへの再入国を拒否されていると聞いた。しかし現在は、R大学外国語学部で教鞭《きょうべん》をとり、タイ語、フランス語のほかに東南アジアの文化を講義している。複雑なアジアの政治と文化について、常に鋭い提言をしている文化人である。

竹原先生から聞いたのは、およそ次のようなことであった。タイ北部の黄金の三角地帯には、タイ、ラオス、ミャンマーのどの国にも正式には属していない山岳少数民族が住んでいる。この地方は、もともと阿片《アヘン》の生産地として悪名高いが、山岳民族には麻薬中毒者が多い。彼らから麻薬を追放し、中毒者を治療する活動をしている小さなグループの拠点が、メーコック・ファームである。

それがどんなに困難な仕事であるかは、医師のはしくれである私にもわかる。それもタイ北部の僻地《へきち》で、小さな民間グループがやっているというのだ。

話を聞いて、私はメーコック・ファームに行ってみたいと思った。何が人間をそういう情熱に駆り立てるのか、それが知りたかった。

機会は間もなくやって来た。二〇〇〇年一月、バンコクで免疫学の国際会議が開かれた時、会期後半に少し時間があいた。それを利用してメーコック・ファームを訪ねよう。私は早速、バンコクから竹原先生にファックスを送って連絡先を訊《き》いた。

竹原先生からはすぐに返事が来た。連絡先の電話番号が書いてあるが、古い受信機のせいで数字が判読しにくい。何度も電話をかけたが違っていた。諦《あきら》めかけた時、受話器の向こうから思いもかけず日本語が返ってきた。やっとつながったらしい。

日本人らしい電話の相手は、「自分はこのファームで働いている日本人で、竹原先生からはすでに連絡があった。ホテルも車も手配して待っている。飛行場まで迎えにいく」と言った。

私は喜んで飛行機の予約をすませ、もう一日だけ学会の発表を聞きに行った。そこで私は、これからの私の旅を予感させるような、もう一つの農村の悲劇と、それと闘う一人の女性と出会ったのである。

彼女の名前は、プラコング・ヴィタヤサイ博士。北部の都市チェンマイに住む小児科の医師である。学会での彼女の発表はショッキングなものであった。

北部タイの貧しい農村では、少女を都市に働きに出す。多くは売春宿である。バンコクなどの売春地帯で働いた少女たちの多くが、HIV、つまりエイズウイルスに感染し、症状が現われると店を追われて村に帰って来る。妊娠している少女も少なくない。

本当の悲劇はそこから始まる。エイズであることがわかった彼女たちは、村人から激しい差別を受ける。困難の中で出産しても、村では疎外《そがい》されたままだ。ついには両親にも見放され、子供を置き去りにして再び村を出て行く者もあるという。

残された子供には、HIVに感染している子もいる。誰も保護する者のいない子供の運命はいうまでもないことだ。

プラコングさんは、そういう子供たちを自宅に預かって治療すると同時に、村人にエイズについての知識を普及し、患者の差別を阻止する活動をしている。夫と二人で、サポート・ザ・チルドレンという小さなNGOを作り、置き去りにされた子供たちを治療している。

「六歳というのに、はじめは二歳ほどの身長しかなかったのが、こんなに大きくなったのです」と、彼女は治療後の少女の写真を嬉《うれ》しそうに見せた。現在二十一人の子供を預かっているが、捨てられた子供はその何倍もいるのだという。今度も、預かった子供たちが作った刺繍《ししゆう》やバッグなどを学会場で売って、少しでも資金を稼ごうとしている。私も何枚かの美しい刺繍のついた袋を買った。抒情《じよじよう》的な色合いの手の込んだ模様だった。

高層ビルとスラムが同居しているバンコクの高級ホテルでこういう発表を聞いて、私は動揺していた。ホテルの窓から見えるネオンサインは、この国のアジアでの繁栄を見せつけているが、地方の農村地帯は違うのだ。いよいよ北部タイで何が起こっているかを、この眼で見なければならぬと覚悟を決めた。

翌朝早く、私と日本から来た友人は、チェンラーイ行きの満席の飛行機に乗り込んだ。窓の下はどこまでも続く起伏のない平野である。まばらな椰子《やし》の木が、まるでゼニ苔《ごけ》の胞子体のような影を曝《さら》して立っているのが見える。大きく蛇行しているのはチャオプラヤ川であろう。こんな平坦《へいたん》な地表をどうして川が流れることができるのだろうか。だから大きなループを作って蛇行している。

一時間余り飛んで、ようやく木の茂った丘が見え、小高い山々が近づいてきた。この国に来て山を見るのは初めてだった。

飛行機は赤茶色の畠《はたけ》をまたぐようにして、チェンラーイ空港に着陸した。一月というのに焼け付くような日差しである。ゲートには、長髪の日本人らしい青年と、背の低い褐色の肌のタイ人の中年の男が待っていた。青年はニコニコと近づいて、「お待ちしていました。関口です」と名乗った。

中年のタイ人が、メーコック・ファームの主催者、ピパット・チャイスリンさんである。私たちはすぐさまピパットさんの四輪駆動のピックアップに乗せられて、チェンラーイの町へ運ばれた。

メーコック・ファームへ

メーコック・ファームまでは、チェンラーイの町から川を二十キロほど遡らなければならない。ピパットさんは、ホテルの裏手の岸辺にもやっていた一艘《そう》の川舟を雇った。麦わら帽にシャツの胸をはだけた船頭が、ビニールの幌《ほろ》の下に私たちを迎え入れた。

竹竿《たけざお》の先にオートバイのエンジンのようなものを括《くく》り付けただけ、先端のスクリューを水につけると舟がゆっくりと動き出す。川幅は五十メートルほどもあろうか。乾季で、あちこちに現われた川瀬を避けながら舟はゆっくりと川を上っていった。船頭が煙草《たばこ》をふかしながらエンジンの棹《さお》を動かして舵《かじ》を取っている。

取り入れをすませた中間期なのか、たまに川漁師が川瀬の砂利に休んでいるだけで、畠で働いている人影は見えない。私たちはのどかなエンジンの響きの中で、タイの田園風景が川下に飛び去ってゆくのを黙って眺めた。

前に立ちふさがった小高い山を迂回《うかい》すると、人声が聞こえてきた。右岸の水の中に数頭の象が見え、シャツ一枚の男たちが集まっている。草葺《くさぶ》きの屋根もいくつか見えるので小さな村落らしい。

「カレン族の村です。ここからは象に乗って行きます」と、関口君が言った。

私たちは舟から下りて船着き場に立った。地面に腰を下ろしていた色あせた半そでシャツの男たちが、私たちをけげんな面持ちで見上げた。象の背に乗った男もいる。象を使って荷役をしている人たちだ。

昨日までバンコクで会っていたタイ人とは明らかに容貌《ようぼう》が違う。発達した頬骨、大きな厚い唇。肌の色も濃い褐色で、背は低いが、がっちりとした体軀《たいく》をしていた。

ピパットさんが声をかけると、男たちはすばやく象の首のあたりに飛び乗って、岸辺近くの木組みの台に象を近寄せた。私たちはまず台に上り、象の背に結わえ付けられた木の籠《かご》に飛び移った。

首にまたがった男が、木のムチで象を川の中に誘った。水は淀《よど》んで象の腹をひたす位まである。象はゆっくりと川を遡り、対岸へ向かって黙々と歩んだ。対岸には灌木《かんぼく》が生い茂って、五十センチほどの崖《がけ》がある。象使いは、嫌がる象を促して崖を上らせ、拓《ひら》けた草原で私たちをドサリと下ろした。私があっけにとられているのを見て、象使いがニヤッと笑った。何がしかのお金を受け取って、象使いの男はまた黙々と向こう岸に去って行った。

そこがメーコック・ファームのゲートだった。原っぱの向こうの夾竹桃《きょうちくとう》の花の間に二本の細い丸太が立ち、横木を二本打ち付けてある。下げられた白い看板に、ブルーのペンキで、メーコック・ファームとタイ文字と英語で書かれている。奥は草がきれいに刈り取られ、パパイアの苗木などが植えられていた。左手にスレート屋根の平家が三つ四つ並んでいる。みな粗末な木とコンクリートブロックの建物だ。

私たちが案内されたのは、むき出しのコンクリートの床に木のテーブルが投げ出された部屋で、壁に沢山の写真が貼《は》ってあった。メーコック・ファームの年中行事のスナップ写真らしい。床の上に座った元気のない現地の人たち、子供たちのピクニックのようなのもあるし、日本人の学生たちが笑顔でVサインを出している記念写真もあった。

関口青年が、ガラスのコップにお茶を入れてくれた。私はここで、関口君からメーコック・ファームの昼と夜の物語を聞いたのである。

この施設の目的は山岳少数民族からの麻薬の追放である。ラオス、ミャンマー、タイの三国が国境を接し、メコン川を少し遡れば中国の雲南省にも達する「ゴールデン・トライアングル」は、世界的に名高い麻薬の生産地であった。この地方の山々を移動しながら生活している山岳少数民族の、主要な収入源は阿片の生産であった。焼き畑農業の傍ら罌粟《けし》を栽培し、阿片の原料として売る。当然のことながら、住民たちも麻薬に汚染される。

タイ北部山間での罌粟の栽培は、タイ政府の粘り強い努力で下火になったが、山岳民族にはいまだに中毒者が絶えない。一度中毒になったら、そう簡単には離脱できない。

麻薬には伝染性がある。村に一人でも中毒者が現われると、次々に広がって村全体が汚染される。そうなると大人たちは、朝から晩まで草葺きの家に寝転んで阿片を吸い続ける。戸外には豚などの家畜と、子供たちの姿しか見かけなくなる。子供たちが家畜の世話をし、採取してきた食物で親たちを養う。時には野鼠《のねずみ》のようなものを取ってきて親に食べさせるのだという。その子供たちも、成人になると麻薬に汚染されて村を捨てるなどで、村全体が消滅することさえしばしばあるという。

この地方の小学校の先生をしていたピパットさんは、この凄まじい状況を見て、日本にいる友人の竹原先生といっしょに、このメーコック・ファームを作ったのである。今年で設立十年になる。

でも医師でないピパットさんが、どのようにして麻薬中毒の治療をするのだろうか。第一、タイ語が通じない山岳民族をどのようにして説得するのか。

ピパットさんは、まず山岳民族の村に頻繁に出入りし、言葉を覚えることから始めた。食糧を運んだり、何くれとなく子供の世話などをした。最初警戒していた村人たちも徐々にピパットさんを受け入れるようになり、さまざまな生活上の相談を持ちかけるようになった。時には、娘を売ろうとする親を、身を張って説得したこともあるという。

そしてピパットさんは、一つの村から他の村へと友人を広げ、麻薬中毒の恐ろしさを村人に教えていった。村全体が消滅するような悲劇を身近に見ていた少数民族の人たちも、徐々に麻薬からの離脱を願うようになった。

それが出発点だった。ピパットさんは、私たちが想像もできないようなやり方で、山岳民族の村から麻薬を撲滅することに成功したのである。

世界保健機関（WHO）や、ヨーロッパのNGOが何度試みても、いまだ成功したことのないゴールデン・トライアングルの麻薬撲滅を、一人の小学校の先生とその仲間たちがどのようにして成功させたのか。それがメーコック・ファームの昼と夜の物語である。

メーコック・ファームの昼と夜

タイ北部山岳に住む少数民族の麻薬を絶つために、ピパット・チャイスリンさんがとった方法は、想像を絶する壮大なものであった。

まず村人を説得して、村中の麻薬常用者全員をメーコック・ファームに移住させる。村の大人の大部分、時には三十人にもなる。わずかな身の回りのものを持っただけの村人たちが、小型トラックに分乗してこのファームに運ばれてくる。

最初に二カ月間の準備期間が始まる。共同生活をしながら、麻薬の害と治療の方針を学び、麻薬離脱に有効とされる生薬などを飲んで準備する。この期間に、新しい環境での共同生活に適応できない男たちの争いが起こったり、男女間のトラブルも発生する。それをひとつひとつ解いておくことが、次の段階の治療のための先決条件である。

そして二ヵ月後、いよいよ中毒離脱の治療が始まる。麻薬の吸引は厳重に禁止され、代わりに精神安定剤や生薬、そして住民たちが伝統的に飲んできたハーブ茶が供される。村人たちには禁断症状が現われ、意識が朦朧《もうろう》となったり、不安や恐怖による異常行動が現われる。嘔吐《おうと》や下痢、筋肉の痙攣《けいれん》や脱力など、身体症状が頻発する。それを助けるのは、関口青年などのボランティアである。

そんな時、ピパットさんが考案した集団治療が効を奏する。三人一組となって、ランニングなどの軽い運動をさせる。痙攣を起こした者を、グループの他の者が介助する。医者もいない、看護婦もいない、いるのはピパットさんとボランティアの数人、そして麻薬を離脱した、もと患者たちだけである。この治療が成功した理由のひとつは、患者が患者を助けるという集団治療だったと思う。そして、病院から届けられる薬剤のほかに、村で常用されているハーブ茶や生薬などを取り入れたことであろう。

関口青年は、この集団治療で大きな役割を果たす。禁断症状に襲われた患者は、嘔吐や痙攣などの身体症状のほかに、精神錯乱を起こして暴力を振るうこともある。関口青年も、何度村人に殴られたか知れないという。それでも彼を、この困難な仕事にかりたてたものは何だったのだろうか。

この時期が半ば過ぎるころには、中毒からほぼ離脱した患者が出てくる。彼らが今度は、治療の手助けをする。治りきっていない者が筋肉の痙攣を起こすと、グループの他の者がマッサージなどをして助ける。意識が定まらない者には、仲間が話しかけて安定させる。禁断症状で苦しんだ時のことを語って、勇気づける。こうして患者たちは、徐々に回復してゆくのである。メーコック・ファームは、「回復する生命」の現場なのである。

しかし治療を終えた村人たちは、そこで村に帰るわけではない。中毒者であった期間に、村の生産能力は失われてしまった。外部との関係も途絶えた。収入の道はない。再び罌粟の栽培を始めるかもしれない。

三カ月の治療期間が終ったあとさらに三カ月間、リハビリテーションが続けられる。失われた対人関係の修復、勤労意欲の回復、そして職業訓練。麻薬中毒という「あちらの世界」から、現実の「こちらの世界」に復帰し、自立して生きる訓練を行なうのである。

ファームの一隅の吹き抜けの小屋では、廃材の鉄パイプを溶接して、二段ベッドやスチールの椅子《いす》を作っている男たちがいる。技術を教えるのも、治療に成功したもと患者である。ここで組み立てられた鉄製のベッドや、机、椅子などは、あとで紹介するパイサンサート学校という、山岳民族の子供たちを集めた小学校で使われる。

ほかにも小規模の農業のための耕作技術、竹細工、木工などの技術を身につける者もいる。女性たちは、伝統の刺繡《ししゅう》や織物など、忘れていた手芸の技術を回復して村に帰るのである。

この八カ月にもおよぶ気の長い全行程を終えて、村人たちは完全に回復した姿で、揃《そろ》って村へ帰る。そこには、残されていた子供や老人が待っている。荒れ果てた畑も、ハーブを採集する森もある。豚も新しい仔《こ》を生んでいる。こうして村は再生するのである。苦痛に満ちた共同生活を体験することによって、村人たちは新しい連帯を作り出し、麻薬に再び走る離脱者は少ない。村人に新しい明日が始まるのである。

こうして、WHOにも、政府機関やヨーロッパのNGOにも不可能だった、ゴールデン・トライアングルの麻薬撲滅の作戦が成功する。ピパットさんに連れられて訪ねたアカ族の村の入り口には、大きな板に白いペンキで、タイ語と英語で、「麻薬を追放した村」と大きく書いた看板が掲げられていた。下手くそな字だが、私にはそれがピパットさんや関口青年たち、そして村人たちの勝利宣言のように見えた。こうしていくつもの村が救われた。

ピパットさんがこの仕事を始めて、もう十年になる。日本のR大学の竹原先生やNGOのおかげで、日本にもプロジェクトを支援するグループができた。グループは日本国内で資金を集めると同時に、R大学などの学生が、メーコック・ファームに滞在して学ぶスタディツアーを組織している。学生らは約二週間メーコック・ファームに滞在し、日本とは全く違う現実にじかに触れ、畠《はたけ》仕事や家畜の世話などを経験する。

関口君も四年ほど前に、そのツアーでメーコック・ファームにやって来た。大学の三年生だった。そろそろ卒業後の計画を立てなければならない時期だった。しかし彼は、一年くらいのつもりで、メーコック・ファームのボランティアとして働くことにした。当時ここには、電気も水道もなかった。水は雨水を利用することもあり、夜はランプだけの生活だった。

雨季にはメーコック川が増水して川を渡ることができなくなる。電話は何キロも離れたタイ人の店まで借りに行く。何日も何日も、暗い雨に降り込められる雨季。大学を卒業したばかりの都会の青年に、電灯のないメーコック・ファームの夜が、どんなに長い闇《やみ》だったかを思って、私の胸は熱くなった。

やがて地下水を汲《く》み上げるための電気も引かれるようになった。メーコック・ファームは現在も地下水を汲み上げたものを生活用水として用いている。関口君はまたここに止《とど》まることにした。もう三年たった。あと何年滞在を延ばすかは知らない。彼を引き止めているものは何か。それは難しい質問である。

朝早くピパットさんのピックアップに乗り込んだ私たちは、ハイウェイを三十キロほど南に走り、小さな町を東に折れて山地に向かった。最近鋪装《ほそう》されたばかりの道路は、小さな集落をいくつか抜けて山に入った。山といっても、灌木に覆《おお》われたなだらかな丘が打ち重なって続くばかりだ。はるかかなた、ミャンマーとの国境に近いあたりには高い険しい山脈があるが、今日はぼんやりとした影になっている。四、五十キロ行ったところで、突然車は右に曲がった。そこからは鋪装のない細い泥の道である。

藁葺《わらぶ》きの家々が木の間から見えるのは、カレン族の村である。カレン族は、いまは定住して農業で生計をたてている。藪《やぶ》の間からよく耕やされた水田が見える。丘の上に、このあたりで唯一《ゆいいつ》の小学校もある。

起伏の激しい山道を後部座席にしがみついて行くと、前方に水牛を引いた男がいた。ピパットさんとは顔なじみらしく、手を振って道をあけてくれた。

山道はますます細くなり、車の轍《わだち》を除けば雑草に覆われている。細い川があって、人一人歩けるほどの木の橋がかかっている。ピパットさんはかまわず車を走らせて、橋の下の川にずぶずぶと入って行った。いまは乾季なので簡単に渡れるが、雨季にはここで車を降り、徒歩で橋を渡る。

七、八キロほど行ったところで、木立の間に屋根を藁でふいた家が何軒か見えてきた。バナナの木も植えられている。ここがアカ族のソグワイパタナ村、通称アーヨッ村である。うしろは深い竹藪、その奥は灌木に覆われた山。藪を切り開いたわずかな平地に、家々がひっそりと身を寄せ合っていた。村の入り口にはタイ語で「麻薬を追放した村」と書いた木の看板がかかっている。エンジンの音に、一人の少年と数人の男たちが駆け寄ってきた。みんな素朴な農民の顔をしている。擦り切れた半ズボンに汚れたポロシャツを着て、褐色の顔に笑みを浮かべている。少年を除けばもと麻薬患者である。

やがて、前の村長のアーヨッ氏が丸刈りのサイヅチ頭で現われた。ピパットさんとふたことみこと言葉を交わしたあと、静かな目で私たちを眺めた。今日は彼と村を廻るのだ。

早くから定住して農耕生活に適応したカレン族に比べて、山での狩猟採集に生活の糧《かて》を求めたアカ族は、転々と山岳地帯を移動してきた。焼き畠《はた》で作った耕地の面積はひどく少ない。家は、粗末な高床式藁屋根の木造、掘っ立て小屋に近い。家の壁も床も竹を編んだだけ、雨季の湿度を避けるための造りである。張り出した床の上に、赤子に乳を含ませた女や幼児がのんびりと座ってこちらを見ている。民族衣装を着て、大きな籠《かご》を背負った女たちが、泥の道を裸足《はだし》で行き交う、まことにのどかな村の風景だった。

男たちは仕事に出ているのか、藁の民族帽を被《かぶ》って、竹細工や草箒《くさぼうき》作りをしている青年が何人かいるだけだった。さっき出迎えた十五、六歳の少年は、知恵遅れの子で、いつもあとをついてまわっていた。

この静かな山岳民族の村が、数年前までは地獄のようだったと聞かされて、私はびっくりした。当時人口二百七十人ほどだったこの村は、麻薬の凄まじい支配下にあった。焼き畠農業でひっそりと暮らしをたてていたこの村に、罌粟の栽培が入り込んだ。阿片《アヘン》を売る収入で生活は楽になったが、村人も次々に麻薬に汚染されていった。村人の多くが阿片を吸引したが、うち三十人あまりが重い中毒になった。十人は女性だった。阿片はやがてヘロインに変わり、もっと安く手に入るアンフェタミンなどの化学薬品が取って代わった。罌粟の栽培で得た収入は他の麻薬を買うために費やされ、村は前より貧しくなった。

中毒者は、朝から家に引きこもって阿片を吸い、一時もパイプを手放せなくなっていた。男たちは働くのをやめ、生きる気力を失った。女たちは子供を放棄した。村は自給する食糧がなくなり、娘を売ったり、離散する家族もあった。

三十人の重い中毒者の中に、村長のアーヨッ氏が含まれていた。勝れた判断力と統率力で、若くして村長に選ばれ、村の名もアーヨッ村になったのに、村長としての職務を果たすことができなくなった。彼はその時五十歳、七年前からヘロインに冒され、毎日〇・五グラムのヘロインを吸っていた。村は統一を失い、百人もいた子供たちが飢えにさらされた。

そのアーヨッ氏を含めたこの村の三十人が、メーコック・ファームで集団治療を受け、この村は再生したのだ。村長を退いたアーヨッ氏は、いま村の長老として、昼間親たちが働きに出たあと、子供たちの面倒を見、村人たちのトラブルの相談に乗り、全く新しい人間として暮らしている。

この日も、村の小さな広場で、娘が夫とともに町に出て行こうとしているという母親が、アーヨッ氏に相談を持ちかけていた。町に行っても自活する道はないと、母親は激しく反対した。周りに村の人たちが集まり、口々に意見を述べる。ピパットさんは、プラスチックの椅子の背から手をだらりと垂らして、人々のやり取りを聞いていた。私たちは、村人が汚いコップに入れてくれたハーブ茶を飲みながら聞いていた。

しばらくして、アーヨッ氏がピパットさんの意見を求めた。ピパットさんがひとことふたこと答えると、集会は簡単に終った。娘たちはこの村に残ることになったらしい。安心した顔で立ち去る村人たちを見て、私は村という共同体がいまここに生きていることを確信した。

村を出た山岳民族の人たちは、すぐに激しい差別に遭う。タイの市民権もないし、町で働くための身分証明書（ＩＤ）もない。大都市に出て行った村の人たちの多くが、路頭に迷うことをピパットさんは知っている。

しかし、この大勢の村の子供たちが、将来いつまでもここに止まるわけにはゆくまい。裸で走りまわっている子供たちが学ぶ小学校はここにはない。行くとすれば、さっきの山道を七、八キロ行ったカレン族の村の小学校だけだ。雨季には川を渡ることもできない。

村を貧しくしているのは単に麻薬だけではなかった。山岳民族がタイの国民になるための障碍《しょうがい》、そしてそれを超えるに必要な教育の欠如である。ピパットさんはいまこの問題に取り組んでいる。

タイ北部に住む少数民族アカ族のアーヨッ村には小学校がない。村の東側の小高い草むらに、幼稚園があるだけだ。

幼稚園は民家よりは少し大きな草葺きの掘っ立て小屋で、周りを囲った粗い竹垣の隙間《すきま》から日光が差し込んでいる。むき出しの土間の教室に、総勢三十名余りの裸足の子供たちが集まっていた。四～五歳ぐらいから十歳ぐらいの子までいる。五人掛けの木のベンチにかけて、一枚の板を張り渡しただけの共同の机に向かっている。

先生はタイ人の女性で、二十キロ以上離れた町から毎日スクーターで来てくれる。子供たちに最低限のタイ語の読み書きだけは教えたいという村人の願いで、ピパット・チャイスリンさんが奔走して実現した夢の学校である。学齢に達した子もここでいっしょに学ぶ。

小学校があるカレン族の村まで十キロ余りの山道を、子供の足で通うのは容易ではない。雨季には川が増水して渡れなくなるし、部族間の対立もある。ほんのわずかの学費だって払えない。タイ語の読み書きができなければ、山岳民族がタイの社会に同化することはできない。

私が今回バンコクに滞在した二〇〇〇年一月末に、ミャンマーから越境したカレン民族同盟（KNU）の軍事組織が、バンコクから百五十キロ離れたカンチャナブリ市にある病院を武力で占拠するという事件が起こった。タイ政府は軍隊を導入して、KNUのメンバーを射殺し、事件は解決したようにみえた。しかしその背景には、ミャンマーやタイの社会から拒絶された山岳民族の、悲惨な現状があったのだ。アーヨッ村はその現場でもあった。

私たちは、昼過ぎに村をあとにし、もと来た山道を戻ろうとした。村の入り口あたりまで来たとき、荷物を背負った小太りの女性が手を挙げて車を止めた。町の保健所に診察を受けに行くのだという。婦人科の病気らしい。ピパットさんの車にここで出合えて、彼女はほっとしたようだった。

彼女を荷台に乗せて、車はチェンラーイへ向かった。彼女たちが西洋式の医療を受けられるのは、二十キロ以上も離れたメーヤオという町の保健所だけである。子供が病気になると、男たちは子供を抱えてこの道をひた走る。

病院への分かれ道で降りたこの女性は、道端に立ってしばらく私たちの車を見送っていた。いまピパットさんがこの女性にできることは、これだけだった。

アスファルトの道には夏のような太陽が差している。バナナの葉がそよぎ、まだ青いパパイヤが実る貧しい集落をいくつか過ぎて、車はまた鋪装のない道に入っていった。次の目的地パイサンサート学校への道である。

このあたりは民家もまばらである。埃《ほこり》っぽい道路から直接木の柵《さく》で隔てられた敷地の奥に木造トタン屋根一階建ての細長い校舎が見えた。ピパットさんのもうひとつの仕事、山岳少数民族の子供たちに初等教育を与えるパイサンサート学校である。

学校では午後の授業が始まっていた。一年生から六年生まで、それぞれが別の教室で学ぶ。半数弱を占めるタイ人の子供たちと、六つの山岳部族の子供たちがいっしょに勉強している。校長室の前の黒板に、部族ごとに子供たちの名前が書いてある。カレン族、アカ族、ラフ族、モン族、チャーン族、リス族などの子供たちが、学校付属の寮に住んでこの学校で学んでいる。全部で三百人弱。

子供たちはそれぞれの民族服を着ている。赤黄青など色鮮やかな民族服のカレン族の子供たちが肩を並べてベンチに座り、黒地にわずかに白い装飾をつけたモン族の少女が一人離れて日だまりに居た。黒い民族服に、ビーズのついた帽子を被った男の子が一団となって走ってゆく。いくつもの部族が融和した、たとえようもなく平和な風景だった。

付属の幼稚園はいまお昼寝の時間。三十人ほどの子供たちが、毛布を敷いた床に横たわっている。奥に座った女の先生がこちらを見て微笑《ほほえ》んだ。静かな時が流れていた。

私たちが二年生の教室に入って行くと、子供たちは全員立ち上がって、タイ式に手を合わせて挨拶《あいさつ》した。何十という眼に見つめられて私は狼狽《ろうばい》してしまった。みんな取れ立ての野菜のように新鮮に見えた。

私は、子供たちの二段ベッドが並ぶ、ガランとした倉庫のような宿舎や木のテーブルが置かれた食堂、そして裏の養魚場などを見学して歩いた。鉄の粗末な二段ベッドには毛布がきちんとたたまれ、枕元《まくらもと》の小さな木箱に本と文房具がおいてある。その上に、さっき見た民族衣装と同じ模様の布がかかっているのを見ると、なぜか胸がじーんとした。

この学校は、一九四九年にアメリカ人のクリスチャンの家族によって設立された。貧しいタイの農民の子供たちのために開設された学校である。千二百ヘクタールの土地に、永続的にこの仕事に参加する約束で、六十家族のタイ人がここに住んで運営した。

しかし設立者の一家がアメリカに去ったあとには、予想されたような困難が待っていた。農村の近代化と都市化に伴って、多くの人が市内に移住し、人材難と運営費の不足が学校を襲った。しかしこの学校が、これまで存続できた理由は、町の学校には行けない子供たちがここにはいつも大勢いたからである。

その延長線上に、山岳少数民族の子供たちがいる。深刻な人材不足と資金難の中で求められたのが、ピパットさんの実行力だった。パイサンサート学校は、メーコック・ファーム・プロジェクトの一部になった。

学校は、一九九六年から山岳民族の子供たちのための寮を設け、積極的に彼らを受け入れることにした。でも親たちは、子供をここに預けるため年間二万円ていどのお金を用意しなければならない。それが払えなくなって、村に戻る子供もいる。学校も、ピパットさんや日本のNGOからの資金のほかに、校内の養魚場で育てた魚を売るなど、独自の収入を求めているが、それで足りるはずはない。しかし努力はタイ政府の認めるところとなって、ここを卒業した生徒たちには、タイ国内で就労できる身分証明書が与えられるようになった。ここはいま、ようやく芽を出し始めた希望の園なのだ。

国境の町

チェンラーイの町から北へ百五十キロほど行けば、もうミャンマーとの国境である。そこから東を望むと、ラオスの原野が目の前に広がる。このタイ、ミャンマー、ラオス三国が国境を接する山岳地帯が、麻薬の生産で悪名をはせた黄金の三角地帯、ゴールデン・トライアングルである。三国にまたがる山地に居住しているのが山岳少数民族である。少数といっても、タイ国内に住むカレン族は七万人を越えるし、リス族は二万人に達するという。

正式にはどの国にも属さないこれらの山岳民族が、麻薬の生産に携わるようになったのはそんなに古いことではない。中日戦争で西アジアからの阿片輸入のルートが断たれた後、中国からの需要に応《こた》えて罌粟《けし》の栽培が始まり、アジアの盲点のようなこの地域が麻薬の生産と売買の中心地になった。日本軍は間接的にそれに手を貸したのである。

戦後タイ政府は、国内での麻薬の生産に、死刑を含む極刑で対処したため、現在では罌粟の栽培はほとんどなくなり、ゴールデン・トライアングルは、いまは観光の名所となった。しかし麻薬汚染は、山岳民族に深い後遺症として残り、いまも村人たちを苦しめているのである。

ピパットさんの仕事は、この根深いルーツを断ち切り、村人たちを再生させることであった。一人の小学校の先生が、自力でそれをなしとげようとしている。WHOや政府機関もできなかったことを、どうやってやりとげたかはこれまで書いてきた通りだが、ではなぜピパットさんとその協力者が、こんな困難な仕事を続けることができたのか。

禁断症状で妄想《もうそう》状態に陥った患者から、何度も殴られながら、不眠不休の治療に参加してきた関口青年に問いかけたのもこのことだった。なぜ異国の若者が、こんな仕事に打ち込むことができるのか。

同じ問いは、こうした援助活動を続けるあらゆるＮＧＯに問われなければならないだろう。彼らの行動の原点にあるものは何か。小学生に、義務的に奉仕活動を行なわせるなどという考えとは全く別の、根元的な動機を問うのである。

こうした仕事は、豊富な資金を持つ大規模なＮＧＯだったらできるというものではない。ピパットさんも、日本からの大型の資金援助など必ずしも望んでいるわけではない。基本的には、彼自身が旅行ガイドとして稼いだわずかの資金で、ごく限られた協力者といっしょにこの仕事を遂行しようとしているのだ。先進国からの援助はありがたいが、それに依存したいなどとは思っていない。

私は、この数日間メーコック・ファームの活動を見守りながら、その問いを考え続けた。そして、生命が回復してゆく現場をつぶさに眺めることによって少し理由がわかりかけてきた。

なぜそんな困難を自ら求めるのかといったら、奉仕とか善意とか、苦しんでいる他人に何かをしてやるなどという通り一遍の気持ではあるまい。何かが彼らを駆り立て、同時に彼らに報いているのだ。

私はこう思うのだ。麻薬に侵された山岳民族の治療を行ない、彼らが徐々に生命を回復してゆくことに参加することで、ピパットさんたち自身の生命も回復しているのだと。私も村を訪ね、ようやく傷の癒《い》えた村人たちに接することで、私自身の持っていた傷の深さに気づいた。私たち先進国の人間も、実は限りなく傷つき、自力では回復できないほど病んでいたのである。彼らが癒えることは、私たちも癒えることである。

タイ北部のメーコック・ファームで、麻薬で心が病んだ山岳民族を治療しながら、ピパットさんも関口君も、そして訪れた私たちも、彼らとともに癒《いや》され回復してゆく喜びを体験するのである。ピパットさんたちの活動は、山岳民族のためばかりではなく、病んでいる私たち自身のためのものでもある。ボランティア活動に携わるNGOやNPO（非営利組織）の原点には、この回復する生命の「共同体験」という隠された目的があったのではないだろうか。

いよいよチェンラーイの町を離れる日、私はピパットさんの車で、ゴールデン・トライアングルを見学することにした。チェンラーイから真っすぐ北上したところにメーサーイという国境の町がある。みやげ物屋などが店をつらねた町の中心街を突っ切ると、川幅五十メートルほどのサーイ川にかかる橋のたもとに出る。そこがタイ側のイミグレーション（出入国管理）で、橋の向こうがミャンマーのそれである。人々は橋を自由に行き来し、交易している。黄金の三角地帯は、もともとそういう土地だったのである。

タイ側の丘に上ると、ミャンマーの山々が見渡せる。山岳民族はこの山々を舞台に、国境を越えて移動しながら生活してきた。山を覆《おお》った緑の中から、黄金のパゴダが突き出している。まぎれもないミャンマーの風景である。町行く人々にも、ロンジーというスカートのようなものをはいたミャンマーの人たちが混じり、民族服を着た山岳民族の女性が手芸品を売っている。

メーサーイから東へ二十キロも行くとメコン川にぶつかる。白濁した水が滔々《とうとう》と流れる対岸はラオス。すぐ下流でミャンマーとタイを隔てるルアク川が合流する。まさにタイ、ラオス、ミャンマーの三国が境を接するトライアングルである。舟は三つの国を自由に行き来し、上流の中国雲南省へも達する。丘に上って川の合流点を眺めた。そこはアジアの民が合流する地点でもあった。

しかしこの風景を眺めていると、中央の洲《す》になっている所に、新たに建てられた近代的なホテルがいやでも視界に入り込んでくる。風景にそぐわぬコンクリートのビルだ。訊《き》くと、三つの国のほかに日本企業が巨額を出資して、カジノが造られると聞いて私は仰天した。カジノができれば、再び麻薬の温床となる。タイの民衆の猛反対を受けてカジノは取り止めになったとあとで聞いたが、人間というのが懲《こ》りない存在であることに私は愕然《がくぜん》とした。

第二章　日付けのない日記

めでためでたの……

世界各国でお正月を迎えたが、日本のお正月ほどめでたいものはない。

アメリカでは前夜のドンチャン騒ぎのパーティーのあと、疲れ果てた人々はベッドの中で元旦を迎える。町はひっそりと静まり返り、翌日からはいつもの日常が始まる。

モロッコの正月は、カウントダウンもなく年が暮れ、早朝にイスラム教の礼拝の時刻を告げるアザーンを唱える声が響き渡って朝の光が洩《も》れ始めるころには、狭い路地を物売りやロバがひしめいていた。インドの田舎で迎えた元旦の朝も、ボロを着た子供たちが朝日に向かってうずくまっているのが窓から見え、日本のようなめでたさはどこにもなかった。

それに比べると日本のお正月は本当にめでたい。帰省した人を含めて家族全員がこたつで年越しそばをすすりながら除夜の鐘を聞き、初詣《はつもうで》に繰り出す。朝には家族そろって屠蘇《とそ》と雑煮で新年を祝い寿《ことほ》ぐ。町は晴れ着の人々でにぎわい、町全体に晴れやかさがあふれる。テレビでは新春番組が一日中にぎやかに放送される。こんな風景は、どこの国にもない。

一体何がめでたいのか。

それは家族全員が健康で生き延びたこと。そして、この国が今日も豊かで平和であること。でもそんなことは元旦に限ったことではない。ふだん気にもとめていないだけだ。

その当たり前のようなことを、あらためて思い出し確認するのが正月のめでたさの理由らしい。道を歩けばいつ交通事故に遭うかわからないし、原子力の臨界事故だって天変地異だって、癌《がん》だって心臓病だって、いつやってくるかわからない。テロも戦争も絶対に起こらないという保証はない。

そういう不安に取り巻かれているからこそ、つつがなく迎えたこのお正月はめでたいのだ。暦の年の切れ目だからこそ、命がつながっていることを思い出して安心する。地球も日本も、そして私も連続していた。それをあらためて確認するのが正月のめでたさなのだ。

ともあれ、杯をあげて「おめでとう」。

二〇〇〇年問題の教訓

あれほど大騒ぎしていたコンピューター二〇〇〇年問題だが、案じられたほどの事故もなく元旦を過ぎた。関係者はホッと胸をなで下ろしたに違いない。

私が勤務していた理科系の大学などは、コンピューター、情報関係の学科や最先端の研究所を持ち、二年以上も前から対策を練ってきた。それなのに昨秋になっても万全かどうか自信がなかった。

二十世紀後半になって大量生産されたコンピューターが、二〇〇〇年と一九〇〇年を読み違えるという初歩的なミスのため、政治、経済、生産、流通、都市や病院のライフラインに至るまでストップするかもしれないというのだからふしぎだ。よほど重大な事件が起こり得るらしく、元旦の飛行機旅行は見合わせた方がいいという通達まで出された。

たかがコンピューター。ちょっと修理したらいいではないか。理系の大学や研究所があわてふためくことであろうか。それよりも、一国の政府機関や国際社会が、たかがコンピューターの初歩的な読み違えでこれほどオタオタしなければならないのだろうか、と一般の人は思ったに違いない。

でも、もし誤作動したら、世界のあらゆる機能が麻痺《まひ》してしまう――ということで、政府機関、大学、病院、民間の会社にいたるまで、大みそかには大勢の人が徹夜の番をし、もし問題が起こったら手作業に切り替える準備までしたのである。

二十世紀前半に発明された初歩的なコンピューターが、たかだか五十年余りで世界中に広まり、ついに政治も経済も、人間の安全も健康もコンピューターに頼るようになった。あんなものは人間が作り出した機械に過ぎない。消そうと思えばいつでも消せると思っていた。しかしインターネットができ、人間社会と離れても自律的に動くネットワーク社会が成立してしまうと、設計の段階で犯したわずかなミスを修正するのにこれほど苦労しなければならなくなる。

そんなことを予想したであろうか。二〇〇〇年問題は、人間が自ら作り出した科学技術に逆襲されることがあることを端的に示した事件だったのだ。

年と齢《とし》の数え方

西暦二〇〇〇年になったら二十一世紀になるのかと思っていたら、二〇〇一年にならなければならないことがわかった。初めは何だかごまかされたみたいな気がしていたが、よく考えてみれば当然のことである。暦は元年から始まるのだから。西暦がキリスト誕生の年を一年とするのならば、そこから西暦一〇〇年までが一世紀、一〇一年からが二世紀である。その伝でゆけば二〇〇一年からが二十一世紀であるのは当然だ。

だけどまだごまかされているような気がするのは、暦が元年から始まって零年がないことに納得がいかないからである。キリストが十二月二十五日のクリスマスに生まれたとすれば西暦元年は七日間しかなかった。昭和元年も十二月二十六日に始まって六日しかなかった。同じ年の、その前は大正十五年だった。

どうして零年はないのだろうか。零年から九十九年までを一世紀とし、桁《けた》が変わったところで世紀を変えることはできなかったのだろうか。いや、なぜゼロ世紀というのから始まらなかったのだろうか。

そういえば人間の年齢の数え方でも、昔は数え年というのがあって、生まれた日から一歳だった。お正月が来れば二歳。西暦の数え方と同じだった。ところが最近では満年齢となって、生まれて一年たつまではゼロ歳である。ゼロは何もないことだから人生にゼロという年齢があるほうがふしぎだ。生まれる前だったらわかるけれど。

ゼロという数字は、七世紀ごろにインドで発見されたといわれている。ヨーロッパでゼロが使われるようになったのは十三世紀に入ってからだそうである。それだったら当然、西暦ゼロ年はなかったはずだ。同じようにゼロ世紀もあり得なかった。二〇〇〇年から二十一世紀にならない理由の中に、ヨーロッパの太陽暦が確立されたころにはゼロという概念がなかったという事実があったのではないだろうか。

神も許さぬ……

「先生、椰子《やし》の実の汁を飲みませんか」。同行したガイドのSさんが聞いた。この冬、熱帯の海に浮かぶ海南島を訪れたときのことだ。

ついさっき冷たい缶ジュースを飲んだばかりなので喉《のど》は渇いていなかったが、道端に山積みにされた青い大きな椰子の実をみると、ついうなずいてしまった。店番のおばさんがナタを振るって一端を切り落とし、現われた穴にストローを差し込んで差し出した。値段は驚くほど安い。

　私たちはあふれるような乳白色のココ椰子のジュースをチューチューとすすった。でもさっき缶ジュースを飲んだばかりなので、半分も飲まないのにすぐお腹《なか》いっぱいになった。

「ここで止めたら椰子《や》の神様に申し訳ない。一年もかかって実の中にためた汁なんだから」と私が言うと、Sさんは傍らの椰子の梢《こずえ》を指さして、「ほらあんなに実っているでしょう。どこでもタダで採れる。気にすることはありません」と言った。

　確かに熱帯に来ると果物は豊かだ。道端の屋台でもマンゴー、パパイヤ、バナナ、パイナップルなど、山のように積まれていて、バナナなどタダのように安いが、しっかりと甘くて熟した香りがする。でも日本のスーパーで買うようなきれいな黄色のものはない。不ぞろいで黒い斑点《はんてん》がついている。

「まるで違う品種みたいですね」と私が言うと、同行したK先生が次のような話をしてくれた。

　マラリア対策でフィリピンのミンダナオ島に行ったとき、島の貧しい子供がバナナの房に紙袋をかけていた。日本に輸出するためのバナナだそうだ。住民たちの方はあの黒いバナナを食べ、袋をかけたきれいなほうは青いうちに収穫して日本へ送る。それを私たちが平気で食べているのだ。

私は、半分以上汁の残った椰子の実を、椰子の神様に気がねしながら道端のゴミの山に抛《ほう》った。と同時に、私たちがふだん「神も許さぬ」バナナを食べていることを恥じる気持ちがわき上がった。

学部長というお仕事

最近二人の外国人の学部長に会った。

一人はボストンの超一流大学の医学部長を務めるB博士。私の長年の親友である。日本の学会で講演するため久しぶりに来日した。

一流の免疫学者のB博士が学部長になるという話を聞いたとき、彼も研究者の仕事をあきらめて、名門大学の学部長という名誉を選んだのかと思った。学部長の仕事は、研究の片手間にできるほどたやすいものでない。実際大学運営の仕事に追われたためか、国際学会などで彼の姿を見かけることは少なくなった。

ところが今回来日して行なった講演を聞くと、B博士が以前にも増して活動的に研究を続けていることがわかった。大勢の共同研究者とともに、ひとまわりスケールの大きな研究成果をあげている。

夜の懇親の集まりで、名門大学の学部長の仕事は大変でしょうと聞くと、「いや、とてもエキサイティングです。他の学部の人とも話ができて、それが専門の研究の役にも立ちます」という答えだった。事務的な仕事に忙殺され研究ができないという不満は聞かれなかった。

もう一人の学部長は、タイの同じく名門大学の学部長と研究所長を務めるS先生だった。毎日研究室で研究と教育に追われ、学部長室で執務することなどないというS先生は、朝六時には大学に来て事務的なことは十時前にすませる。携帯電話で常に外部と連絡を取りながら、エネルギッシュに研究を進める。学生や看護婦にも気軽に声をかけ、夜の社交行事も避けるようなことはない。国外への出張にはエコノミークラスを使い、狭い座席で文献を読み、学会では若者たちと討論を交わす。

この二人に共通のことは、学部長という地位を、権威や名誉としてではなく、職務として、その仕事をこなした上で、自分の研究を推し進めている。

忙しくて研究ができないとこぼしながら、学部長の椅子《いす》にふんぞりかえって大学のポリティクスに専心している日本の学部長に、この二人の先生の爪《つめ》のあかでも煎じて飲ませたい。

不況も悪くない

いま日本は慢性的不況で、企業の倒産、失業、社会不安など最悪の状態だそうである。当事者にとってはこんな深刻な問題について他人事《ひとごと》のように言うのは申しわけないが、一般の市民にとっては不況になって少しはよくなったこともある。

たとえば東京でのタクシー。バブルのころはタクシーが足りなかった。銀座などでは閉店の時間には長蛇の列ができ、近距離の客などはしばしば乗車拒否にあった。いかにも乗せてやるという態度で、「ありがとう」などという言葉は聞かれなかった。ところが不況になったら、突然タクシーが過剰になってしまった。いつでも乗ることができるし、客扱いも格段に丁寧になった。いまや客を待つタクシーが列をなしている。

景気に最も左右されやすいタクシーを筆頭に、さまざまなサービス業の態度が明らかに変化した。かつてはまずいレストランでもいつも満席だった。まるで食べさせてやってるとでもいうように、客扱いは横柄《おうへい》だったし、価格も不当に高かったが、人々は文句も言わずに食べさせていただいていた。

不動産業者も製造業者も同じやり方だった。地道に働き、適正な価格で物やサービスを売るという精神が失われていた。汗と内容と誠意で対価を得るという実質経済の原理が、金融経済のバブルに飲み込まれてしまっていたのだ。

それが一転して不況になった。無秩序に暴れ廻っていた実質のない経済が力を失った。そのつけが普通の人間にまで廻ってきて、私たちの税金でその尻拭《しりぬぐ》いをしているのだ。

二十年ほど前、アメリカは不況でデパートから客の影が消えた。いまのアメリカの好況は、それを教訓とした人々が地道に働くことでつくり出したものだ。

私のように薄給ながらも給与を頂いてきた者から見ると、この不況は、私たちが働くことによって対価を得るという原点に返るための大切な教訓のように思われる。最近のサービス業者の態度の変化をみると、不況も悪くはなかったと思う。

グローバリゼーションなどいらない

グローバリゼーションという言葉を頻繁に耳にするようになったが、近ごろそれに疑問を感じている。

この冬、南シナ海に浮かぶ海南島に行ったときのことだ。中国本土の大都市は開放、改革、自由化が進んで、日本に負けないほどの物質的豊かさを達成しつつあるが、南シナ海に浮かぶこの島の生活レベルはまだそこまでいっていない。私が滞在した町でも、高層ホテルがいくつか建っているが、町には貧しい家々が立ち並び、野天の市場では、わずかの生活用品が売られているだけだ。油で揚げたパン菓子を買ったが、値段が一けた違うのではないかと思うほど安い。貧しいけれど人々は食うにはことかかないし、上海《シャンハイ》や北京《ペキン》に比べたら、ずっとゆったりと暮らしていた。

ところが、ホテルや観光客相手のレストランは違う。東京に比べればまだ安いが、町の商店とは明らかにけたの違う値段の品物が並ぶ。その著しい格差は、急速に流入しつつある先進国の貨幣価値が、島の人の生活を引き裂いていることを示していた。

たとえば、ホテルのボーイたちは口実をつけてチップを欲しがる。夜になると、怪しげな女性たちが頻繁にドアをノックする。観光ガイドは、やたらに土産物屋や宝石店に連れて行く。そこには明らかにこの島の現実とは違う高価な品物が並んでいた。レストランでは、明細書もなしに高い請求書が来る。いままでマネーという怪物に曝《さら》されたことがない島の人々が、いまその魔力に踊らされているように見えて、私は戸惑った。

グローバリゼーションといえば、世界中の人間が同じスタンダードの豊かな生活ができるようになるという錯覚がある。しかしそれを達成するためには、発展途上国の人々の急速な価値の転換が起こらなければならない。そのための軋轢《あつれき》は途上国、先進国の双方に等分ではあり得ない。一方が必ずひどい犠牲を払うことになる。それがいま島民の生活に表われているのだ。

グローバリゼーションなどと安易に言うより、多様な価値をどのように生かしてゆくかの方がもっと大切なことではないだろうか。

黄金の三角地帯

ミャンマー、ラオス、タイ三国が接しているあたりを「黄金の三角地帯（ゴールデン・トライアングル）」と呼んでいる。メコン川が滔々《とうとう》と流れ、そこにタイとミャンマーを区切るルアク川が合流する。遠くには険しい山岳地帯が見えるが、川の周辺には広々とした水田が続く。

一時は国境紛争が多発し、難民や山岳民族の侵入など問題の多い地帯であったが、最大の問題はケシの栽培であった。この世界最大のアヘン生産地帯では、山岳民族の多くが麻薬中毒に侵された。麻薬に群がるマフィアの暗躍にタイ国民は頭を痛めていた。

しかし政府の粘り強い麻薬対策や、国民の麻薬撲滅の努力によって、少なくともタイ北部のケシの栽培は見られなくなった。平和になった黄金の三角地帯は、最近私たち旅行者にも開放されるようになった。

私は最近、山岳民族からの麻薬追放のためのNGO活動をしているピパット・チャイスリンさんの施設を見学するため、この地を訪れた。小高い丘に立つと、国境を接する三つの国が見渡され、メコン川を遡《さかのぼ》る各国籍の貨物船が行き交ってまことに平和で美しい眺めだった。

ところが、たった一つ気になる未完成の建物があった。赤い屋根を持つ何層もの巨大なビルである。それはミャンマー側の中洲《なかす》のようになった中央にそびえ立っていた。別に醜悪というわけではないが、この三角地帯を眺望するときには、どうしても視界に入ってしまう。

「邪魔なところに建てましたね」と私が言うと、「カジノ付きのホテルですよ」とピパットさんが答えた。「日本の企業の資金で建ったんです」

私はびっくりして息をのんだ。大きな代価を払って、やっと麻薬が追放されようとしているこの美しい地に、またもやマフィアが介入するかもしれないカジノが建設中なのだ。それも日本企業の資本が入って。

さすがにタイの民衆は黙っていなかった。高まる世論に、建設はいま中断されているという。しかし、どの方角から美しい川の風景を眺めても、このビルの影を視界から追い出すことはできなかった。

発掘しないという思想

慶州《キョンジュ》といえば古代新羅《シラギ》の都。四世紀後半に統一国家が成立してから五百数十年に及ぶ王朝が栄えた。日本の古代文化に大きな影響を及ぼした故地でもある。東京から釜山《プサン》まではひとっとび。飛行場から車を走らせれば、あっという間に古代朝鮮の都に降り立つことができる。

最近久しぶりに慶州に滞在した。大和の古寺の原形を彷彿《ほうふつ》とさせる名刹《めいさつ》もすばらしいが、何といっても都の一角を立錐《りっすい》の余地もないほどに埋めつくす古墳群には感動する。冬枯れの芝草に覆《おお》われた乳房のような円墳が、まるで時間を密封したかのように、見渡す限り夕陽を浴びて立ち並ぶ様は筆舌につくし難い。

いずれも王や王族のものらしく、古墳から出土した金冠、玉《ぎょく》や金の服飾品等、目を瞠《みは》るほどの遺物が近くの国立博物館に展示されている。日本の高松塚の原型に擬せられる有名な天馬塚の内部は、現在公開されている。

天馬塚より大きな古墳はいくらでもある。発掘すればもっといろいろ見つかるだろう。「いまどこを発掘しているのですか」と聞くと、ボランティアで案内人をしているKさんが言った。「天馬塚でいろいろなものが発掘されたので、他の古墳の発掘は当分やらないことになっています」

私は感心してしまった。日本では遺跡があれば必ず発掘する。飛鳥《あすか》の壁画古墳が発見されてから発掘熱が高まり、天皇の御陵まで発掘しないとおさまらない。

それに対しここでは、大切に保存してきた古墳の八割以上が発掘されぬまま後世に残されている。いずれ関係した資料がもっと整い、より高度の技術で発掘が可能になるときのために残しておくという思想に、私は深くうなずいた。

古墳だけではない。すべてを暴《あば》き、解明してしまうというのが、現代科学の行き方だ。発見の成果を十分に理解し、利用できるところまでまだいっていないのに、とにかく見てしまおうというやり方である。私には、間もなく完全に読み解かれるという、人間の遺伝（ゲノム）情報のことが頭に浮かんだ。

よけいなお世話

日本人の喫煙人口を現在の半分の十五％程度に減らすという答申がなされて、厚生省もそれを政策に含めるという。煙草《たばこ》業界などの猛反対で、数値目標は見直されるようだが、国民の健康を蝕《むしば》む喫煙を減らす、今までにない具体的な目標であった。私のように煙草も吸わないし、慢性の気管支炎で、いつも他人の煙草で迷惑を被《こうむ》っている者にとっては歓迎すべきことではある。煙草の害は、医学的にも確立された事実なのだから。でも何となくひっかかるところがあった。何だろうか。

まず喫煙は個人の嗜好《しこう》である。江戸時代から続いた日本の文化現象でもある。長い間社会に受け入れられ、酒を嗜《たしな》んだりコーヒーを飲むのと同じように、個人の生活様式の中に取り込まれてきた。煙草を吸わない私だって、おいしそうなフランス料理とワインの後で葉巻をふかしている人を見ると、ああいいものだなぁと羨《うらや》ましくなってくる。

こういう人間の嗜好や文化現象に、国家や官僚が介入するのには、自《おの》ずと限度があろう。煙草は健康に害がありますとか、公共の場では禁煙するように、というのだったらわかる。国民の健康や、公序良俗のためにはぜひそうしてもらいたい。

でも十五％という数値をあげて、国家が個人の嗜好を制限する方針を押し付けたら、文化国家ではなくなる。大げさかもしれないが、そういうやり方で個人の行動を規制したのが、先の戦争である。

煙草は体に悪いし、他人も迷惑する。でも個人の好みに国家が介入するのはもっと良くない。

酒だってコーヒーだって、甘いケーキや牛肉だって、とり方によっては体によくない。でも酔っ払いで迷惑するから酒飲みを三十％にするなどと政府が言い出したら、だれでも怒るだろう。致命的な害でもない限り、嗜好の多様性を制限すべきではあるまい。

煙草の害をＰＲして納得させ、マナーの向上をはかり、個人の選択によって禁煙させることこそ、文化国家のなすべきことである。個人の健康のために、文化や嗜好まで制限しようというのだったら、「よけいなお世話」と言いたくなる。

十八兆円産業の行方

高齢化社会への対応や、介護保険の成立に大きな役割を果たした人の講演を聞いた。高齢化社会などというと暗くなるが、本当は「長寿社会」というのだそうだ。暗いイメージの方が先行していたけれども、人々が長生きをし、豊かで健康な生活を送る夢の社会なのだそうだ。

介護を要する老人も増えるが、その何倍もの健康な老人がいる。健康な老人は、余力を使って新しい仕事に従事し、新たな産業を生み出す。その中には要介護の老人を手厚く支援するためのさまざまな職業が含まれる。その人の試算では、老人が新たにつくり出す市場の経済効果は十八兆円にものぼるという。

高齢化社会は、たんなる金食い虫ではなくて、新しい十八兆円産業を生み出すのである。不況にあえぐ現代にとって、何という魅力的な新市場であろうか、とその人は結んだ。

なるほど。高齢化社会というと、消費型経済だけだと考えていたのとは、だいぶ話が違う。高齢者は新しいニーズと消費をつくり出す。それに対応して新しい生産やサービスが必要になる。その経済効果は大きいはずだ。

でも私は別のことを思い出していた。ある審議会で同席していたYさんの話である。Yさんは足が不自由になった母親の世話をしている。近くの病院に連れて行くときは、タクシーを使う。六百円ていどの距離である。

しかし最近、通院する老人の送り迎えを助ける車を役所から紹介された。介護専門の会社が始めた新しいサービスである。その会社は、地方自治体から多額の助成を受けて運営している。車には、車椅子《くるまいす》用のリフトもついていて、乗り降りは格段に楽になった。運転手も助手も親切だ。

だが料金は、タクシーに比べて一けた近く高かった。出動してもらうと、距離にかかわらず一回ごとの料金が加算されるからである。

まさしく長寿社会の介護制度は、新しい産業をつくり出している。老人のニーズに応《こた》えるサービスは、国や自治体の支援を受けた新しい産業だ。でもそのとき、新たな負担が増える人たちもいる。その弱者を助ける配慮はない。

買い物のルール

開発途上国を旅行して、ナイトマーケットなどでその地の民芸品を買うのは、旅の楽しみのひとつである。とくに値段をふっかけてくるのをうまく値切って手に入れると、それだけで嬉《うれ》しくなってしまう。でも値切るにしても、そこには多少のルールがあろう。

この間タイ北部の町のナイトマーケットに行ったときのことである。ヨーロッパから来た女性が、この地方のアカ族の娘から、美しい刺繡《ししゅう》の布を買っていた。執拗《しつよう》に値切り続けて、とうとう言い値の三分の一ほどで買った。アカ族の娘は悲鳴をあげ、明らかに不満そうな様子でわずかのお金を受け取った。

同行した現地の人に聞くと、それは随分と安い買い物らしかった。現地の人だってそこまでは買いたたかないと言った。

そうかと思うと、差し出された品物を全く値切ることもなしに、言い値で買っている日本人の旅行者もいた。同じようなものを大量に言い値で買って、尊大にお金を投げるように渡した。

私はどちらの買い手もよくないと思った。先進国の金持ちの旅行者が、彼らにとっては取るに足りない値段の品物を徹底的に買いたたく。旅行者にとってはほんのわずかの得だが、アカ族の娘にとっては大金を失うことになる。そこまでやることはあるまい。

一方、旅行者が不当な言い値で買ってしまうのもよくない。この地の商取引では、必ず掛け値を付ける。買い手が値切って、適当なところで折り合いをつけて買う。売る方も買う方も満足する。それが途上国のマーケットの商習慣なのである。

習慣を破って、金にまかせて言い値で買い取るのも、尊大でいやだ。それが日本人と見ると、やたらにふっかけてくる習慣をつくった元凶である。

私は、二種類の買い方を見て、旅行者が現地のマーケットで物を買うのも、なかなか難しいなと思った。でも勇気を出して、アカ族の娘が差し出したテーブルクロスをかなり値切って、それでも私にとっては安い値段で買った。お金を渡した時、娘がニコッと笑ったので、私は安心した。

アフリカを汚しているもの

この冬アフリカのカメルーンに行った。首都のヤウンデでさえも、近代的なビルがあるのは中心地の一画だけ、ちょっとはずれると土で作った壁に囲まれた民家が続く。人が集まるところにはどこにも物売りがいる。空き地の片隅にバナナや野菜を並べる人。雑貨の行商やたばこのばら売り。ドラム缶の上で焼いた鳥肉や魚。いろいろなものを頭の上にのせて運ぶ女たち。極彩色の服をゆったりと着、共布のスカーフで頭をまいた大柄な女たちはとてもおしゃれにみえた。

周りを山羊《やぎ》の一群が走り回る。野良犬《のらいぬ》や、放し飼いの鶏。男たちは空き地の端で平気で立ち小便をする。どこからともなく汚水が流れてくる。そういった種々雑多なもののの臭《にお》いで空き地は満たされる。貧しいけれど活気に満ちたアフリカの町の姿である。でも日が暮れると、いつの間にか人々は去って空き地は真っ暗になる。電灯の光はここまで届かない。そして朝、白々と太陽に照らされていた無人の空き地に、午後になると再び活気が戻って来る。

私は滞在中、こういう空き地をいくつも通った。それはまさに人々の生活の場だった。

人が集まってくる前の午前中、広場に行くと、その汚さにびっくりする。昨日あれだけの人間や動物が集まっていたのだから、汚れるのは当然である。

でもこの汚さの本当の原因は何かといったら、塩化ビニールの空き袋なのである。空き地を覆っているのは、散乱した白や黒のプラスチックの袋。それが風に吹かれている。人間が捨てた食べ残しのゴミなどは、犬や鶏が始末してくれる。汚物は強い太陽の光と土壌菌のおかげであとかたもなくなる。

でもビニール袋だけは消えようがない。それが空き地いっぱいに寒々と広がっている。そこに水が溜《た》まれば蚊が生まれる。この国でもマラリアは大問題なのだ。

開発途上の国々では、プラスチックゴミを処理するためのインフラの整備はない。それができるまで、先進国が作り出したプラスチックが、アフリカの大地に住む人々の生活の場を汚染し続けるのである。

めいわく千万

この二、三日、家の奥さんのごきげんが悪い。別に夫婦喧嘩《げんか》をしたわけでもないのに。

どうして、と聞いてみたら、何かの雑誌で熟年夫婦の離婚についての記事を読んだのだそうだ。とくと考えてみたら、自分たちにも思い当たることがいろいろあるという。

仕事が忙しいといって、ちっとも家庭をかえりみない。夜になると、勝手にお付き合いで飲みに行ってしまう。子供の教育は妻まかせ。休日は家でゴロゴロしていて目《め》障《ざわ》りだ。妻が文句を言わないのを当たり前と思っている。エトセトラ、エトセトラ。よく考えてみたら、どれもこれも私に当てはまるという。「あなただって危ないわよ」と脅かされた。

私の方も、いままで思ってもみなかったけれど、言われてみれば一言もない。きっと世の亭主どもは多かれ少なかれみんな該当するのではないだろうか。

特集には夫の方の言い分も書いてあった。男の仕事の孤独な戦いに妻の理解がない。疲れて帰ったのにねぎらいの言葉がない。子供についての愚痴、近所付き合いの愚痴。家事の手抜き。こちらの方もエトセトラ、エトセトラ。

ことあらためて点検してみれば、どんな夫婦の間にもこの種の不満はあるに違いない。それが近ごろの熟年離婚の原因だと雑誌はいうのだ。

でも大部分の夫婦は熟年離婚などしていないではないか。こんな不満を並べてみても、離婚の原因などは見えてはこない。本当の離婚の原因はもっと別のところにあるはずだ。

この世の夫婦は、たくさんの慢性的な不満を抱えながら、どこかで息抜きをし乗り越えている。それが乗り越えられなくなって爆発するのは、別の心の危機が生ずるからだ。その動機は千差万別で、ひとからげにこれが原因などとは言えない。夫婦の間の、きわめて奥深いところで糸が切れるのだ。雑誌の特集はそこまで議論していない。

上《うわ》っ面《つら》の議論で世の奥さんたちを不機嫌にさせるような雑誌の特集は、「めいわく千万」と言わざるを得ない。そういったら奥さんはケラケラと笑った。

希望という笑顔

最近、タイ北部のチェンラーイという町のはずれにあるパイサンサート学校という小学校を訪れた。近くに住む山岳民族の子供たちに、初等教育を受けさせる小学校である。ラオス、ミャンマーと国境を接するゴールデン・トライアングルと呼ばれるこの地方には、カレン族、アカ族、モン族といったいわゆる山岳少数民族が住んでいる。

彼らは国境地帯の山中にひっそりと住んでいたが、近年北部タイの山あいに定住して農耕生活をするようになった。しかし、タイ人の社会にとけこむことなく多くは人里離れた山奥の村に暮らしている。

町での職につくにも制限があるし、特別の身分証明書を持たなければ町に出られないという差別下におかれた山岳民族の子供たちは、初等教育を受けるチャンスにも恵まれず、識字率も著しく低い。麻薬が蔓延《まんえん》し貧困に苦しむ山岳民族が、市民社会に参加し差別を克服してゆくためには、子供たちに初等教育を受けさせるのが先決問題である。

就学意欲のある子供たちを、全寮制のこの学校に集めて教育するという目的でこのパイサンサート学校がつくられた。粗末な木の校舎に、六年生までの約三百人がそれぞれの学年の授業を受けていた。子供たちは独自の民族衣裳《いしょう》を着て授業に出ていたが、私が入っていくといっせいに立ち上がって、タイ式に手を合わせて挨拶《あいさつ》をした。みんなつやつやした肌をしたすてきな子供たちだった。

子供たちは、三つの寄宿舎に寝泊まりしている。大きなガランとした倉庫のような建物に、二十あまりの二段ベッドが並んでいた。コンクリートの床はよく掃除され、ごくわずかな身の回りの物が壁際《かべぎわ》に整理されていた。

一年間の費用はたった二万円だけれど、それさえも払えずにやめていく子がいるという。民間の寄付だけで運営しているので、先生の給料も安く、たくさんの困難を抱えている。

でも私は、粗末な木の校舎に、色とりどりの民族服を着て学んでいる少年や少女の顔に、バンコクや東京の小学生にはないつややかな笑顔を見て、希望というのがこういう笑顔になるのだということを実感した。

肌の色

アフリカのカメルーンで開かれた学会に出席したついでに、この地の小学校を訪問した。首都ヤウンデは人口約五十万人。中心地を除けば、土壁のバラックが続く。人々は貧しく、識字率も十%に満たないという。

学会で知り合った学生A君が連れて行ってくれた彼の母校は、英語で授業を行なっていた。校長先生が、私と妻を二年生の授業に案内した。教室に入って行くと、窓からの光だけの薄暗い部屋から何十もの眼がいっせいに私たちに向けられた。全員が立ち上がって「グッドモーニング、サー。グッドモーニング、マダム」と挨拶した。

私もうながされて挨拶した。「私は日本から来ました。皆さんは日本がどこにあるか知ってますか」と、私は彼らが見たこともない日本のことを話した。誰も知らなかった。彼らには黄色い肌の私たちがよほど珍しいらしく、近寄ってきてはじっと見つめた。

もうひとつの小学校に着いたのは、ちょうど昼休みで、子供たちが校庭にあふれていた。ここでも私たちを見つけた子供たちは、殺到して握手を求めた。カメラを向けると、我れ先にとファインダーに入り込んで来る。

私はその中に、一人の肌の白い少年を見つけた。髪の色も薄い。アルビノ（遺伝的に皮膚の色素を欠く変異）らしい。真っ黒い肌の子供たちの中ではいやおうなく目につく。

ところがアルビノの少年は、ちっとも臆《おく》することなく、他の子供たちをかきわけながらカメラの真ん中に入って、私の方に手をのばした。かなりの腕白らしい。私は次々に子供たちと握手をして何度かシャッターを切った。

手を振って別れると、少年たちは校庭の隅の鉄棒の方に走って行った。白い少年も、黒い子供たちともみ合いながら走っていく。

つい三十年前まで、アメリカの白人社会では、肌の色が黒い子供が激しい差別を受けていた。でもここでは、肌が白いからといって差別を受けている様子は全くない。本人も気にしていない。私はなぜか救われたような気持ちになって、走り去って行く子供たちの背中に、もう一度シャッターを切った。

年年歳歳

久しぶりに東京大学の構内を散歩した。

私の家は、本郷の東大正門の近くなので、行こうと思えば数分で行ける。在職中は毎朝通った道である。でも生来のものぐさから、退職してからはなかなか足を運ばない。それに犬を連れて構内を散歩するのは禁じられているので、犬のお供をするときは反対の方向に足が向いてしまう。

四月のキャンパスは何もかもが生き生きとしている。まだ月の初めなので桜は満開ではなかったが、いつもの場所に花のトンネルを作っていた。三四郎池のあたりの木々は、いまはち切れんばかりの新芽がひらひらと舌を出し、春の息吹《いぶき》があたり一面にたちこめていた。早咲きの木蓮《もくれん》の花が、いつも見慣れたところで真っ白な花をつけている。

今年は春になっても冷たい日が続いたので、桜の開花は遅かった。でもほとんど八分咲きくらいで、大学病院に来た患者さんたちがコートの襟を立てて見上げていた。ベルツ博士の銅像が春の日差しを浴びている。

新入生を勧誘するためか、安田講堂わきの道に机を並べてビラを配っている学生たちがいる。武道部の学生が木綿の着物に袴《はかま》をはいて立っている。ネットに入れたフットボールを振り回しながら走ってくる半袖《はんそで》シャツの学生がいる。まだ初々《ういうい》しい少年のような新入生が、連れ立って講堂の周りを歩いている。

在職中は毎年見慣れた四月のキャンパスの風景である。構内には新しい建物も建ち、新規の建築工事も進んではいるが、この四月の風景だけは毎年同じだ。でも昔の同僚の多くも、この五年ほどの間に退官を迎え、古い研究室を訪れる気もしない。

私はぶらぶらと、昔見上げた桜を巡って春の構内を歩いた。その桜を、新入生たちも感慨深げに見上げている。

「年年歳歳花相似たり、歳歳年年人同じからず」

私の心に聞きなれたこの詩句が浮かんだ。

本当に花はいつもの所に咲き、同じ木々が芽吹いている。新入生たちは毎年同じ思いでこの花を見上げるのだろう。この「年年歳歳」という感慨を最も強く味わうのは、春の大学の構内であろうと私は思った。

ステッキをつく理由《わけ》

数年前にやった通風発作の後遺症で時々左足が痛む。思い切ってステッキを買ってみた。

軽い組み立て式の細身のステッキをついてみたらなかなか具合がよい。足の負担が減って痛まなくなった。それに歩く姿勢が良くなった。段々と上手になって、杖《つえ》をついている不自然な感じがなくなった。電車やバスで若い人が席をゆずってくれたりする。

たまに会合にステッキをついて行くと、「どうかしたのですか」と大げさに心配されることもあるが、たいていは「おしゃれのためですね」と、ダテにステッキをついているのがバレてしまう。じっさい本当は、ステッキなどなくても十分歩けるのだから。ただあんまり楽なのでクセになってしまっただけだ。

ステッキをつくとなぜ楽なのか考えてみた。人間は、約五百万年前に突然直立二足歩行という新しい歩行様式を発明した。チンパンジーから分かれたときのことだ。それまでは、基本的には四足歩行という動物本来の歩き方を守ってきた。ゴリラやチンパンジーは二足で歩くこともできるが、普段は四足である。

直立二足歩行が可能になったおかげで、二本の手を自由に使うことができるようになったし、重い頭を真上に支えて、脳を発達させることができた。人類の進化を可能にしたのはまさに直立二足歩行であった。

でも、何千万年もの脊椎《せきつい》動物の進化の歴史の中では、直立二足歩行の発明はついこの間のことである。まだ人類はそれに完全に適応していない。この無理な姿勢のおかげで新たな病気も現われた。

胃下垂、腰痛、肩凝り、外反母趾《がいはんぼし》、脳貧血など直立歩行の直接の影響によるものから、高血圧、脳動脈硬化、心臓病など血流動態の変化によるものまでいろいろあるようだ。

ステッキをついて会合に出席して、「どうして」と聞かれると、「直立二足歩行はどうも無理な歩き方のようですから」と言い逃れることにしている。でも本当はカッコつけているだけなんです。

オランダ修交四百年

四百年前の西暦一六〇〇年の四月十九日、一隻《せき》の船が大分県の臼杵《うすき》湾に漂着した。二年前の六月オランダを出航した六隻の貿易船団の一隻、リーフデ号であった。他の五隻のうち一隻は困難な航海をあきらめて帰港、一隻は難破し、二隻はイスパニア人・ポルトガル人にそれぞれ捕えられて、残ったのはこの船だけであった。

リーフデ号の漂着は、近代日本にとってきわめて重要な意味を持つ事件となった。それは、日本が西洋というもうひとつの世界と接触した事件の一つだったし、オランダを通して日本が西欧文明を取り入れ、近代化を果たすための幕開けでもあったからである。

はじめは交易を介して文化、文物の交流にとどまったが、十八世紀後半には、オランダの医学が蘭学《らんがく》として日本に紹介されて、日本の近代医学の基礎となった。明治維新後、大学制度のもとで医学教育が始まったとき、中心に据えられたのは蘭学であった。おかげで日本人は、二十世紀にはいって急速に進展した西洋医学の恩恵を十分に享受《きょうじゅ》することができるようになったし、日本の医療制度も西洋医学実践のために発達したものである。しかしそのためには、漢方を含む伝統医学との間にさまざまな軋轢《あつれき》があった。

それから二百年後の現在、私たちは再び西洋医学が行きついた高度先進医療をどのように受け入れるかについて悩んでいる。脳死者からの臓器移植、遺伝子治療、終末期医療など、再び西洋医学の成果を受け入れるための精神的軋轢が生じている。オランダは高度先進医療でも先進国の一つで、法的に安楽死を認めている世界で唯一《ゆいいつ》の国でもある。

リーフデ号漂着から四百年、日本でもオランダでもこの年を記念して数々の行事が行なわれている。私も最近オランダを訪ね、ライデン市のシーボルト館の開館を見てきた。

いま、オランダ人の日本を見る眼は熱い。シーボルトを通して紹介された東洋の文化に、オランダ人が深い興味と期待を持っているからである。

二つの国の文化が再び出合うこの年、日本は西洋の先進医療とどのようにつき合ってゆくべきかを模索すると同時に、日本からどんな積極的な発言が可能なのかを考えてゆかなければならないだろう。

二人だけのＮＧＯ

またタイのことを書く。

バンコクで開かれた国際学会のレセプションで、プラコングさんという女医さんと出会った。彼女はやはり医師である夫と二人で、タイ北部の町チェンマイで、エイズの子供を救うための「サポート・ザ・チルドレン」というＮＧＯの活動をしている。ユネスコや一般市民の善意の寄金で、細々と運営しているほんとうに小さなＮＧＯである。

タイでは、売春や麻薬で広がったエイズが社会問題となっている。しかしプラコングさんの話を聞いて、その蔭《かげ》にあまり知られていない悲劇があることを知って私は愕《がく》然《ぜん》とした。

貧困のため北部農村の少女たちがバンコクなど大都市の売春宿に売られ、エイズウイルスに感染して故郷に戻って来る。故郷の村でも白い眼で見られ、社会的にも孤立する。エイズが発病すれば、その運命は悲惨である。それを助けるというのが小児科医であるプラコングさんの仕事であった。

しかし問題はそれに止《とど》まらなかった。感染して帰って来た娘たちはしばしば妊娠している。生まれた赤ちゃんの中にはウイルスに感染している子もいる。母親はその分まで苦痛と負担を背負わなければならない。

村人の迫害に遭い、苦しみに耐えられなくなった母親は、しばしば子供を置き去りにして村を出る。残された子供は十分な保護を受けることができず、またたく間に栄養失調になってエイズを発症する。それがどんなに悲惨であるかは、書くまでもあるまい。

プラコングさんは夫と二人で、そういう子供たちを自宅で預かることにした。彼女は学会報告で、ほとんど骨と皮ばかりになった赤ちゃんのスライド写真を見せた。でも、この子が半年後には、こんなに肥《ふと》って元気になったのですと、彼女は誇らしげに語った。

何分にも二人だけでやっているNGOなので、いまは二十一人の赤ちゃんを世話するのがやっと。そういう子供はまだ沢山いるんですけど、といって彼女は眼を伏せた。それはほんとうに小さなNGOである。でも、こういう女医さんがいる限り、いつかきっと良くなると私は思った。

地方の力

秋田県小坂町は、人口七千三百人の小さな町である。かつては鉱山町として栄え、明治の終りごろには銅の鉱産量全国第一位を誇った。小坂鉱山に集まった坑夫やその家族の厚生のために現存する日本最古の芝居小屋「康楽館」が建てられたのは明治四十三年だった。大阪や東京からも歌舞伎《かぶき》の一座がやって来た。

しかしやがて鉱山は閉山となり、かつての賑《にぎ》わいはなくなった。この町でも過疎《かそ》化が進み、いまでは小さな地方都市、というより淋《さみ》しい田舎町に過ぎない。

この小坂町の古い芝居小屋で最近、文楽人形芝居が上演された。それも、大阪から人間国宝吉田簑助《みのすけ》さんを含む第一級の人形遣い、三味線、太夫《たゆう》を招いての上演だった。

初めはお客を動員できるかどうか危ぶんだそうだが、幕をあけてみると切符は二カ月も前に売り切れ、小坂町からだけでなく東京からも他府県からも大勢の客が集まり、場内は異様なまでの熱気に包まれた。

私も縁あって観劇したが、東京の国立劇場などでは味わえない感動の連続だった。

農家のおばさんも村の青年も、涙を流しながら観《み》た。演劇というものが本来持っていた力が、この小さな町の古い劇場でほとばしったのだ。

今年で九十年にもなる和洋折衷木造の芝居小屋、それを守ってきた町の人々がいる。ほとんど手作りでこの公演を実現した実行委員会の人たち、そしてそれに応《こた》えた文楽の技芸員の人たち。天井桟敷《てんじょうさじき》まで鈴なりになった五百人ほどの観客。それらが一体になって、この劇を盛りあげた。

古い小さな劇場でなければあり得ない、舞台と観客の間でピッタリと合った呼吸。大げさに言えば、文楽本来の、演劇としてあるべきものが息を吹き返したのだ。

いま地方の時代などといって、地方の文化活動が盛んになっている。でも東京や大阪などの大都市の文化のおこぼれにあずかるのだったらつまらない。それは飛行機や新幹線で都会に見に行けばよいのだ。

町や村、それが長い間培《つちか》ってきた地方の力で、中央に向かって新しい文化を発信すること。それが人口七千三百人の町でも可能であることを、この小坂町が示したのだ。

会話のルール

人間はおしゃべりをする霊長類である。チンパンジーのようにしゃべれない霊長類（ホモ・リンガ・インエプタ）に対して、人間を舌が巧みな霊長類（ホモ・リンガ・フレクサ）と分類するやり方があるくらいである。

おしゃべりにはルールがある。会話というのは、片方がしゃべれば他方が聞く。相手の話を聞くことなしに、一方的に自分だけしゃべるのはルール違反である。聞く方は、それに反応して相づちを打つ。人にしゃべらせて知らん顔をしているのも違反である。

私のような商売のものは、さまざまな方と対話する機会に恵まれる。時には対談が記録となって出版されることもあるので、ルール違反は許されない。お互いにしゃべり合い、聞き合うことによって、対話でなければ生まれない相乗効果が現われ、新しい発見をすることができる。

何人かで話し合う座談会でもそうである。時々、自分だけしゃべって相手に話させないような人がいる。「要するに、こういう結論になりますし……」というように話が終らず語尾が次の行につながっているので割り込むことができない。「ですし……」とか、「となるんですが、でも……」といって次の行を独占してしまうのはよくない。

そうかと思うと、相づちを絶対打たない人もいる。きいているのか、眠っているのかわからない。英語では相手の話を聞いたあと、「イズ　イット」とか「ダズ　ヒー」といった相づちを打つ。これを覚えることが、英会話上達の秘訣《ひけつ》であると私は思っている。

もうひとつ、話の途中で突然関係のない話題に飛んでしまう人がいる。ニューヨークの株式の動向を話しているのに、突然「隣りの奥さんがね……」などと予告なしに話題が変わってしまう。せっかく話が結論に近づいているのに、流れは中断してしまう。世間の狭い人に多い。

この間ヨーロッパの飛行機に乗ったら、前座席の背に面白いことが書いてあった。「飛行中、頭上の棚の荷物が移動することがありますから、気をつけてお開けください。でも会話の方は移動しないようお気をつけください」

にんげんの顔を見る

九十二歳になった私の先生が東京に来られたので、特別展が開かれていた上野の東京国立博物館におつれした。いくら矍鑠《かくしゃく》としているといっても、さすがに群を抜いた老人である。六十五歳を超えた私が、九十二歳の先生の手を引いて、入場券売り場に並んだ。

博物館では、六十五歳以上の高齢者には割り引きがある。窓口で申し出ると、証明書があるかという。私は運転免許証があったが、先生は持っていない。顔を見ればわかるでしょうと言ったが駄目だった。年下の私は老人割引で入場できたが、先生は割引なしの一般料金で入場した。

実際の人間の姿ではなくて、証明書の方を信用する。これも近代社会ではやむを得ないことなのかもしれない。でも何となく釈然としなかった。

しばらく前の話だが、横浜市立大学医学部付属病院で患者を取り違えて手術してしまうという事故が起こった。患者を手術室に運び込むとき、本人であるかどうかを確かめず、名前さえも確認せずに手術してしまったというのだからあきれるほかはない。こちらの事件は、付随していたカルテや連絡票さえも、確認しなかったというのだ。関係者は一体何を見ていたのであろうか。

この二つの例を見ると、近ごろ人間は、人間の顔や姿を見なくなってしまったのではないかと思う。顔を見さえすればすぐにわかるはずなのに、手続きとか、証明書とか、データとかの方が重要視される。時にはそれさえも見落とす。

顔など見せなくても、カードと暗証番号がありさえすれば、現金をおろすことができる世の中である。自動券売機とか自動販売機で切符や物が買えるのだから、顔や姿を確認する意味が薄れてしまったことは確かだ。自動販売機で小学生が酒やポルノ雑誌を買っても、とがめるものはいない。

しかし、医療や老人福祉の現場で、人間の顔を見るという識別作業がなくなってしまうことは恐ろしい。そういえばこのごろ、大学病院の医師などは、患者ではなくてコンピューターに入ったデータを相手にして診療している。

先生が長生きせねばならぬ理由

大学を卒業して四十年以上も経《た》つと、教えを受けた先生の大方がこの世を去られた。学生のころ私淑していた先生の訃報《ふほう》を聞くのは悲しい。何か自分の中に大切にしまっていたものが突然消え失《う》せたようでショックである。

この三月に、私淑していた最後の恩師が亡《な》くなられた。別に直接指導を受けたわけではないし、師弟の関係を結んでいたわけでもなかった。九十二歳の大往生だった。この年齢まで温かいご家族に囲まれて暮らし、亡くなられたのを家人が朝になって気づいたという、いわば理想的な最期《さいご》であった。

でも私は何だか意気消沈してしまった。ここ十年以上お会いしたこともないし、せいぜい年賀状のやりとりていどのお付き合いに過ぎなかった。お訪ねしたり、お話を伺ったりなどという間柄にはなかった。居ても居なくても実質的な影響があるわけではなかった。それなのにひどく空《むな》しい。

あの先生がどこかで生きている、遠くから見ておられると心の片隅で思いながら暮らしていたのだろう。そういう先生が見えぬところにおられたからこそ、何か誇らしいことがあったりすると感激が一入《ひとしお》だったのだ。

もう一人の恩師、こちらは直接に論文の指導をしていただいた教授で数年前に亡くなられた。最晩年は、かなりぼけてしまい、お訪ねしてもいつも同じ話をしていた。でもこの先生がこの世におられるというだけで、私は力づけられていた。

両親を亡くし、親しくしていただいた先輩の多くもこの世を去ったが、教えを受けた先生がこの世にもう残っていないのは別の寂寞《せきばく》感がある。青春の惑い多き時代に心の支えにし、その後遠く離れていても、どこかでその眼差《まなざ》しを感じながら生きてきた。親の眼差しとも友人の眼差しとも違う。かつて自分の指針にしていた眼差しなのだ。その光が消えた。

私も長い間大学の教授生活をしてきたが、本当に教え子の指針になるような眼差しを向けていただろうか。まことに疑わしくはあるが、先生というのが長生きをしていなければならない理由があることだけは腑《ふ》に落ちた。

読み書きそろばん

世界中どこへ行っても人間は言葉を喋《しゃべ》る。言葉を喋るのは、人類が進化の結果獲得した遺伝子の働きだと考えられている。

しかし生まれた瞬間から言葉を喋り出すわけではない。「ウマウマ」などの乳児語から始まって、幼児期には急速に言葉を操れるようになり、初等教育が終るころには文法を含めた複雑な言語能力が身につく。その時期を過ぎて十代後半になってしまうと、言語学習能力はかなり落ちる。子供のうちに外国語を習えば、母国語と同じように喋ることができるのは、その時期に働き出す遺伝子のおかげである。

数を数えたり計算したりする能力も幼児期に現われる。この時期に数を理解する力を獲得しておかないと、大学生になって計数能力が身につかない。数を数える遺伝子も、やはり幼児期に発現し、時期を逸すると十分に発揮させられぬらしい。

人体のつくりや働きは、遺伝子によって決定されている。生まれた時すでに完成している働きもあるが、年齢とともに次々に発現してくる遺伝子もある。言葉や数を数える遺伝子などはそうである。人間関係を作り出す社会性の遺伝子なども幼児期に初めて働き出す。この時期を逸すると、他人と協調して生きてゆくことが困難になる。

初等教育は、こうした幼児期にスタートする遺伝子の働きを最大限に引き出し、伸ばすことに専念すべきではないだろうか。昔の人は「読み書きそろばん」と言ったが、それこそ初等教育のエッセンスなのである。「よく学びよく遊べ」も、遊びを通して社会性を身につけさせる大切な知恵であった。

近ごろ、初等教育のころから創造力を伸ばす教育だとか、イマジネーションを引き出す教育だとかしゃれたことを言っているが、そんなものは、思春期になって別の遺伝子が現われるのを待って行なわれるべきであろう。「読み書きそろばん」と「遊び」こそ、初等教育の最も大切な目標とすべきだと私は思う。

中等教育の目標

初等教育で必要なのは「読み書きそろばん」と「遊び」だと書いたが、中等教育ではどうだろうか。

中学生のころ思春期が始まり、この時期特有の遺伝子が働き出す。たとえばホルモンの遺伝子。増大した成長ホルモンによって体は急速に成長する。性ホルモンによって中学生たちは、自分を男、あるいは女として認め、自己のアイデンティティーを確立してゆく。ティーンエイジャーは、この時期に働き出す遺伝子のおかげで、幼児期にはなかった新たな能力を獲得し「自己」を完成させるのだ。

この時期に遺伝子が広げる可能性を、引き出し伸ばしてやることこそ中等教育の目標であろう。多少社会的に逸脱した行動があったとしても、未知の可能性を試し発見するための過程と考えなければならない。

近ごろ初等教育の段階で言われている「創造性を育てる教育」などは、まさに中等教育の時期にこそ必要な理念なのだ。この時期にこそ、己を広げアイデンティティーを確立させる教育が効果的なのだから。

ところが日本では、中等教育のころには受験戦争が始まって、せっかくの遺伝子にチャンスを与えない。可能性が十分広がっていないのに、進学する大学や学部で「理系」と「文系」に分けてしまう。理系の学生は文系の教科を取らず、歴史や文学に接する機会を逸する。文系の受験生は、初歩的な物理や生物学を学ぶチャンスが与えられない。

せっかく可能性の広がる時期なのに、真っ二つに分けて制限してしまうのだ。こんな教育を受けた学生は、大学に入っても一方的なものの見方しかできない。高校で理系の勉強しかしなかった者が医学部に入って医者になり、患者という悩める人間やその背景を理解できるようになるだろうか。病気を機械の部品の故障としかみなくなるのではないだろうか。

一方、DNAのことを全く知らずに、人間や、人間のつくり出す文化や社会を理解できるはずがない。中等教育は、文系と理系をつなぐ人間の知のあらゆる可能性に開かれていなければならないと思う。

梅雨の日の過ごし方

梅雨の季節はうっとうしいけれど、私は嫌いではない。五月の強い日差しで過剰に生命力を燃やした草や木が、今度はじっくりと水と養分を蓄積し、やがて来る強烈な夏の太陽に備える準備の季節である。水田の稲も十分に生命力をため込み、根本にはもう小さな穂を用意している。稲の遺伝子はいま最も活発に働いているのだ。

家の中がじめじめして、かび易《やす》いのも、黴《かび》のDNAが働き易い環境だからだ。夏においしい漬物を食べたかったら、今ごろぬか床を作ってならしておくのが一番だ。

梅雨の曇天の下で、青木の葉うらが白くひるがえるのは美しいと言ったのは内田百閒《ひゃっけん》だ。この時期に風が吹くと、新しく萌《も》え出した木々の葉が銀色に波打って、暗緑色の去年の葉との間に強い明暗のコントラストをつける。野原ではやわらかい草が、風になびいて波のようにゆれる。雑草たちが目立たない小さな花をつけ、そこに小さな露の玉が光っているのも美しい。

そろそろ露地物の夏野菜が出始めるが、まだ夏の太陽に曝《さら》されていないので、やわらかくみずみずしい。初物のありがたさもこの時期だ。

日本の梅雨にじっと身をおいてみると、それが東南アジアの雨季のいつやむともしれない身も心も滅入らせるような暗い雨ではないし、暑さも耐えられぬほどではないことに気付く。ましてや雨に恵まれぬアフリカの砂漠地帯に比べたら、生命を育《はぐく》む雨期はありがたいと思わなければならない。

雨に降りこめられた休日の午後、薄い木綿のシャツに着替え、机に向かって季節の便りでも書いたらどうだろうか。ご無沙汰《ぶさた》している昔の恩師や旧友に。手を休めて庭を見やると、胡瓜《きゅうり》の葉陰にもう黄色い花がついているのを発見する喜びも待っている。

水たまりに落ちる雨の波紋を見つめながら、昔のことを思い出すのも、青い夏の海の旅を夢見るのもよい。梅雨は、人間にとっても生命をため込むつかの間の休戦命令だと諦《あきら》めて。

武道と文化

この間、茨城県の鹿島《かしま》神宮に奉納される古武道の演武会を見に行った。武道とは縁もゆかりもない私が、朝早く起きて雨の中を二時間もかかる神社まで出かけた。物好きな、と妻はあきれていたが、細々と受け継がれている古武道を一度見たいというのは私の念願であった。

杉の巨木に囲まれた神域は雨に煙り、人影もまばらで神々《こうごう》しかった。久し振りに日本の原風景に接したような気がした。いやしかし、こういう神社の風景や古武道をみて、国家主義的に利用する風潮があるとしたら、厳しく警戒しなければなるまいと思った。

古びた木の道場で奉納された演武は、まことに興味深いものであった。さまざまな流儀が、「打ち手」と「受け手」を出して対戦させ、その技を披露する。凄《すさ》まじい気合があたりに立ちこめる。私のように技など全くわからぬ者でも手に汗を握って見入った。

初めて見た棒術の組み手などは、力学的にもまことに合理的にできている。わざと隙《すき》を作らせて、間髪を入れずに打ち込んで決まる。でも実戦だったら、どんなに血なまぐさく恐ろしい技であろうか。殺傷法としてではなくて、木刀を使った精神的な技として残されるようになって本当によかったと思う。

私がこの演武会で面白いと思ったのは、日本の武道が日本の芸能と同じように、「間」と「型」を基礎にして成り立っていることである。互いに間をはかり、間をつめる。間をはずされた方が負ける。

初めから型の方も、武力ではなく型として教えられ、やがてそれが身についたところで相手の型と対峙《たいじ》する。じっと立ち合いでは、相手の型を崩すのが主眼だ。型を崩された方が負けになるらしい。立ちつくす二人の演武者を眺めていると、相手の型と間を破るため、自分も間をはかり機を発見しようとしていることがよくわかった。

私はこの立ち合いに、能舞台で大小鼓《つづみ》が演奏を始めようと楽器をかまえた時と同じ型と間の緊張関係を見出《みいだ》して、古武道が戦法としてではなく文化として残ってくれるようにと祈った。

複眼でものを見る

審議会とか評議会とかのメンバーには学識経験者を選ぶというのが一般のようだ。私のように非常識な者も、大学の先生を長い間やっていたおかげで、いくつかの会に出席させられている。

大体において、学識経験者なるものの発言は役に立たない。極端だったり、非常識だったり、実行不可能だったりする。なぜこんな人たちの意見まで聞かなければならないのだろうか。

たとえば学校のいじめをどうするかという議論をしていると、「いじめられたらぶんなぐり返すという教育が必要だ」と誰かが言った。「暴力を容認するのですか」と反論されると、暴力を単に禁止するというのではなくて、武器を使わないとか、危険は避けるとか、暴力にもルールがあることを教えるのが大切なのだと言う。そんなことで万事解決とはいくまいが、なるほどと思った。

こういう極端な意見は、他のどこででも聞けるものではない。常識的で妥当な意見だったら、誰からだって聞ける。いや、聞く必要もないくらいだ。ラジカルで非常識な意見だから聞くに値するのだ。そういう意見は、世間が狭くて専門のことしか知らない学識経験者から聞くのが一番早い。

現代のような複雑な社会で民主的にものを決定するためには、単に中間的な意見だけ拾い集めたのでは役に立たない。極端な意見も聞いた上で、議論をして広い選択肢の中から選ぶことが必要なのだ。誰にも自明と思われることでも、必ず別な意見を持つ人がいる。人はそれぞれ違う眼を持っているからだ。

こういう言い方もできるかもしれない。違った専門を持っている人たちが集まって複眼を形成する。すると一人だけの単眼では見えなかったものが見えてくる。複数の別の見方が集合するからだ。偏《かたよ》った人間の集まりだが、審議会は一つの複眼として機能する。視野は広ければ広いほど良い。

だから、メンバーは平均的な人でない方がいい。そういう意味で、学識経験者という、世間では通用しない石頭を集めることも必要なのだろう。

おっちょこちょいの遺伝子

梅雨明けの炎天の日、私は松山市に住む詩人の香川紘子さんを訪ねた。

四十年以上も前、文学少年だった私は、「詩学」という雑誌にみずみずしい詩を投稿していた少女詩人香川さんを知った。学生のころ夏休みを利用して四国を旅行していた私は、松山市のお宅に彼女を訪ねたことがあった。香川さんは、脳性麻痺《まひ》による重度の障害を持ち、ベッドに寝たきりであった。いまもほとんど病院の一室に寝たままで暮らしている。あれから四十年間、たゆまぬ詩作を続けてこられ、何冊ものすばらしい詩集を出版された。その間つきっきりで介護してくれたお母さんにも先立たれたが、詩の言葉は近年ますます強い力を持つようになった。

一九九六年には、亡《な》きお母さんに手向けた『ＤＮＡのパスポート』（あざみ書房刊）という詩集を出版された。その中に、ＤＮＡというパスポートを所持して私はこの世に誕生した、という意味の詩句があった。私も、「人間はＤＮＡという乗り物に乗ってこの世に生まれ、それを乗り捨ててこの世を去る」と書いたことがあったので、親近感を覚えたのである。だから会話は、いきおい遺伝子のことにおよんだ。

香川さんが、「私は父から生きてゆくために大切な遺伝子を受け継いだけれど、母からはおっちょこちょいの遺伝子を受け継いだらしいのです。深く考えずに何かを始めてしまって、失敗ばかりしているの。困った遺伝子ですね」と言われた。私はとっさに「いい遺伝子を貰《もら》ってよかったですね」と答えた。

なぜかと言えば、おっちょこちょいの人は失敗してもあまりくよくよしない。楽天的な人が多い。重度の障害を持って、これまで並大抵の苦労ではなかったろうが、挫折《ざせつ》することなく力強い詩を書き続けてこられたのは、ひょっとするとお母さんから受け継いだおっちょこちょいの遺伝子が助けてくれたからかもしれないと思ったのだ。そう答えたら、香川さんは不自由な体をこちらに向けて、大きくうなずいた。外は梅雨明けの強い日差しが注いでいた。

音楽の名残

炎天の夏の夕べ、九十二歳の老指揮者朝比奈隆《あさひなたかし》氏の指揮するベートーベンを聴いた。私の席はサントリーホールのオーケストラ後部の座席で、朝比奈さんの指揮を真正面から眺めることができた。彼の指揮で、まるで自分の懐《ふところ》の中からオーケストラが鳴り出したような新しい体験をした。

白髪に、黒の燕尾服《えんびふく》の背筋を真っすぐにのばした朝比奈さんは、二時間に及ぶ、二つの交響曲を精魂こめて指揮し切った。大阪フィルの団員が全力でそれに応《こた》えた。ことに交響曲『英雄』の第二楽章「葬送」の悲壮な情熱が指揮棒の先からほとばしり出るのを、各パートが精一杯受け止めているのが私の席からは手に取るように見えた。楽器が全《すべ》てを歌い切れなかったうらみはあったが、最近最も感動的なコンサートであった。

老指揮者は、沸き上がった万雷の拍手に静かに頭を下げて応え、オーケストラのそれぞれのパートに手を上げて拍手を受けさせた。どんなにか疲れているだろうにと、私は朝比奈さんの芸術家魂に感じ入った。

拍手の嵐《あらし》の中に二度目に姿を現わした時は、大勢の聴衆がオーケストラの前に駈《か》け寄っていた。私たちも皆立ち上がって拍手した。

オーケストラが舞台から去ったあとも拍手は鳴り止まなかった。しばらくたって再び下手のドアが開いて、朝比奈さんが一人で静かに舞台に現われた。純白の髪に純白のシャツ、黒い燕尾服の老指揮者が、まるで能舞台に登場するように姿を現わしたのだ。収まりかけていた拍手が、また熱狂的に鳴り渡った。

朝比奈氏は、鳴り止まぬ拍手の中に一人で立った。さすがに疲れは隠せない。誰もいない舞台の椅子《いす》の背に手をかけ、前方に集まった聴衆に立ちつくして応えた。さらに私たちのいる後ろの座席を見上げて目礼した。

私は再び胸がいっぱいになった。九十二歳の老指揮者が、全身で大曲を指揮し、オーケストラも全力で演じ切った。指揮者の想《おも》いは二千の聴衆に伝わり、彼らはいま感動の嵐の中にいる。舞台の上に浮かび上がった朝比奈さんの孤高な姿が、「音楽の名残」というものを映し出していた。

地球は大きいか

私たち人間にとって、地球は巨大な存在である。私たちが五官で地球の大きさを感じるとすれば、せいぜい飛行機の窓から地上を眺め、延々と続く陸や海がはるかかなたに没してゆくとき、地平線も水平線もわずかに湾曲して見えることぐらいだろう。

何しろ地球の半径は、六千四百キロメートル。昔の人は地球などという概念もないままに、地表は無限に続くと信じて生きていた。

アフリカで生まれた人類の祖先は、ユーラシア大陸を越えてはるか南アメリカまで渡って行ったが、それは何万年もかけてのことである。人間が行動できる範囲は小さく、江戸時代までは京都から江戸に行くのに、何日もかかった。ましてヨーロッパやアメリカなどは、想像を絶する異界だった。それほど地球は大きかったのだ。

それが、いまでは大阪まで新幹線で三時間、アメリカ、ヨーロッパでも飛行機で十数時間である。地球は段々小さくなっているらしい。

それでも最近まで、地球は人間にとってはまだ大きかった。トルコで大地震が起こっても、日本では震動を感じない。チェルノブイリで大きな原子力発電所の事故が起こっても、地球全体が汚染されたわけではなかった。毎年莫大《ばくだい》な面積の熱帯雨林が失われても、すぐさま地球環境が変化するというわけではなかった。地球の大きさが、人類を救ってきたのである。

そう思っているうちに、地表を覆《おお》う炭酸ガスの濃度が高まり、地球全体の温暖化や紫外線の増加などが身近に迫ってきた。いつの間にか、地球全体を破壊してもまだ余るほどの量の核兵器がつくられてしまった。

大きいと思っていた地球が、人工衛星から見たら、丸い小さな球体に過ぎなかった。でもテレビの画面で見る小さな地球はまだ青く美しい天体である。

人間はこの百年ほどの間に、大きかった地球をどんどん小さくしてきた。地球は大きいのだからと安心していた前提を変更しないと、小さくなった地球は危ない。

外国人に教えられたこと

とある宴席で、日本に長く滞在しているアメリカ人の女性に会った。彼女は留学生として文化人類学を専攻し、卒業後も東京のど真ん中神楽坂《かぐらざか》に住んで、テレビ関係の仕事をしている。欧米各地を忙しく飛び廻っているが、ほとんどは日本で過ごす。もとは三業地だった横丁の、木造の日本家屋に住んでいる。クーラーもない畳の部屋、カーテンは浴衣地《ゆかたじ》をはいで作ったという。

日本人は冷暖房のついたコンクリートのマンションで暮らしているのに、彼女は日本式住居の居住性を十分に享受《きょうじゅ》しているという。蒸し暑かったその日も、冷房のきき過ぎた宴会場で、彼女は藍染《あいぞ》めの木綿の広布をショール代わりに肩にかけていた。

暑い夏の日には、われわれはガラス窓を締め切ってクーラーをつける。機械はバカだから、冷やし過ぎて風邪をひいたり、鳥肌をたてたりしている。

もともと日本人は、厳しい夏の過ごし方を知っていたはずだ。家の造りにも工夫があり、窓を開ければ風が通る道ができた。日差しを遮るすだれを考案し、ガラスの風鈴で涼しさを演出した。浴衣も団扇《うちわ》も日本の厳しい夏を過ごすために考えられたものだった。アメリカ人の女性は、いまそれを利用しているらしい。

金沢に住むもう一人のアメリカ人の女性は、町はずれの山あいの古い農家を改造して暮らしている。廃屋に近い農家を借り受け、破損したところは木で修繕した。大工さんは嫌がったらしいが、それで原形を留めた。

このあたりの冬は寒いが、大きなストーブを入れればしのげる。やがて向かいの山に鶯《うぐいす》が啼《な》き、花が咲いて緑が萌《も》え始める。その美しさは何ものにも換えがたいと言った。夏の快適さは訊《き》くまでもなかった。

日本人が忘れていたものを、外国から来た人たちが教えてくれる。伝統芸能も古武道も外国人が再発見して教えてくれたものが多い。そう思って家に帰り、クーラーを止めて窓を開け放った。風が入って来たが、やっぱり暑かった。

夏の終り

浜にひときわ強い風が吹いて、土用波が押し寄せる。まだ太陽はギラギラ照りつけているが、海の色は昨日とは変わった。海の家の傷《いた》んだ葭簀《よしず》がバタバタと風に吹かれている。海水浴客の数も大分減ったようだ。半ズボンに真っ黒に日焼けした体をあらわにした監視員の青年が、光る沖合を眺めながら、疲れたように椅子に身を沈めている。サングラスに映る太陽も、わずかに陰りを見せ始めた。

「ああ、今年の夏も終ってしまう」と胸を衝《つ》かれた少年のあの日。若者の夏はいつも一瞬のうちに過ぎ去った。いろいろな思い出を体に残して、アッという間に夏は行ってしまったものだ。皮のむけた肩や腕に、チクチクした思いが痒《かゆ》さとなって残る。そんな夏を過ごしたのは何十年前のことだろうか。

私は夏が好きだ。年をとってから冬はますます過ごしにくくなった。夏は暑くても何とかしのげる。びっしょり汗をかき、シャワーを浴び浴衣に着替え、夕風を袂《たもと》に入れながらよく冷えたビールを飲む。長いこと生きてきた余禄のようなありがたさを感じる。

そのシャワーの水が、ある日少し冷たく感じられる。濡《ぬ》れた体に吹く風が一瞬ひんやりとする。窓の外の朝顔のつるが風にゆれている。その風の音も変わったようだ。今年の夏も終りか。ドキリとして空を見上げると、雲の形はまだ夏の積乱雲だが、空の色がわずかに深みを増している。

「秋来ぬと目にはさやかに見えねども、風の音にぞ驚かれぬる」と詠《よ》んだ平安時代の歌人も、同じように夏を惜しんだのではあるまいか。あの海の家の青年も、かつての若き日の私も、夏が過ぎ去ってしまうのを、心の底から惜しんだ。夏休みにしなければならないことは山ほどあったのに、突然色を変えた海に胸ふたぎうろたえた学生時代のことが、昨日のように思い出される。

人生の夏も終りをつげ、老いを感じるようになった。だから年ごとの夏を惜しむ。こんな夏の終りを、あと何回過ごすことになるのだろうか。

祝祭の復活

この八月八日、途方もない能の催しが東京で開かれた。

「翁《おきな》」に始まって、神、男、女、狂（人）、鬼が主役として現われる五番の能を、五流の能役者が続けて上演するというのだ。しかも全曲を、主催者である大鼓方《おおつづみかた》の大倉正之助さんが打つ。能の間には狂言が三番入る。朝八時に始まり、夜八時に終るという長丁場だ。

近ごろはめったに行なわれない翁付き五番能だが、江戸時代まではこれが普通だったらしい。その間に昼食もお茶もお酒も入って、丸一日の催しとなった。

大倉さんは能の鼓の家元の家に生まれた。大鼓の代表的奏者であるが、他のジャンルの音楽家とも積極的に交流し、能を世界に普及するためのさまざまな活動をしている。知る人ぞ知る、彼は大型のオートバイで世界各国を駈《か》け巡るライダーでもある。今回の公演でも、ライダーの仲間が会場の整理にあたった。

一日中お能を拝見するなどという物好きがどれほどいるかと疑っていたが、早朝から観客が詰め掛け、能楽堂は満席となった。厳粛な翁の舞に始まり、五番の重厚な能が演じられた。休憩時間は、蓮《はす》の花が生けられたロビーで茶が供された。床には書が掛けられ、もてなしの空間がしつらえられた。

能は五流の名手によって順々と進み、最後の「船弁慶《ふなべんけい》」となった。素手で、固い大鼓を打ち続けて来た大倉さんの手はどうなっただろうか。そんな心配をよそに大倉さんの気迫は最後まで衰えることはなかった。

能が終ると能楽堂のロビーは祝宴の場となった。もともとは直会《なおらい》という酒宴で、当日の役者をねぎらうのだが、最後まで残った大勢の観客がこれに加わった。

丸一日お能を観《み》てしまった。でもそこには、とりすましてたった一番の能を観たのとは違ったふしぎな心の高まりがあった。心の中にはまだ鼓や笛の音が鳴っていた。

中世の観客もそうだったのだろう。演劇というのは、神に捧《ささ》げる儀式に始まり、民衆の祝祭の場として発展した。私はその祝祭がこうして現代の東京に復活したことを喜んだ。

音の中の進化

夏休みに、郷里の茨城県の田舎に行った。網戸から涼風が入るので、久しぶりにクーラーのない一夜を過ごした。

朝、あたりが明るくなるころ、鳥の鳴き声が聞こえ始める。雀《すずめ》の一群が目をさましたのだ。ギーギーという大声が混じるのは尾長鳥らしい。遠くから鶏の声も聞こえる。

間もなく蟬《せみ》の声がわきあがる。近くにいるのはアブラゼミ、遠くでミンミンゼミも鳴き始めた。

静かだと思っていた田舎の朝が、実はたくさんの音に満たされて、ひどくうるさいものであることを実感した。生き物の声で早朝に目が覚めてしまった。しかし寝床の中でじっと目を閉じていると、こんな音は太古から毎夏繰り返されていたはずであることに気づいた。人類が生まれるよりはるか前、恐らく六億年も前に、地上に昆虫が生まれた。さまざまな種に進化して地球のあちこちに分布した。現在では、数百万種の昆虫が地上にいるという。

その一つが蟬だ。まだ人間の祖先が地球上に現われる前から、蟬は木々の間を飛び廻っていた。夏には今よりももっと凄《すさ》まじい声で鳴き立てていただろう。

私は目をつむって蟬の声を聞いていた。するとまた、ギーギーという尾長鳥の声が混じった。私の想像力は今度は鳥の方に向かった。

恐竜の仲間から鳥が進化し、さまざまな種類の鳥となって地上に分布した。空を飛ぶもの、地上に適応して地を走るもの。こちらも何千種もの鳥がいる。それらが蟬を含めた昆虫を食べながら進化してきたのだ。私が聞いているこのおびただしい音は生物の進化のいくつもの断片だったのだ。

やがて地上に哺乳類《ほにゅうるい》が生まれ、いろいろな種に進化した。その子孫がわれわれ人間である。その一人である私が、いま朝の光の中に横たわって、進化の跡付けを聞いている。

蟬の声も鳥の声も、太古のままに響いている。私は音の中に残されている「進化」に思いをはせた。その時赤ちゃんの泣き声が聞こえ、朝は人間たちのものとなった。

自然に戻す

この四月、まだ春浅いオランダを旅した。アムステルダムから、白いライラックの花の間をぬって、列車は古都ライデンに着く。私は友人の勤めるライデン大学医学部を訪れ、足を延ばして、研究で知り合った友人の家を訪問した。

十八世紀に建てられた古い家並みの間を運河が流れるライデンには、日本に蘭学《らんがく》を伝えたシーボルトの家が残っている。折しも日蘭交流四百年を記念したシーボルト展が開かれていた。

大学のメディカル・センターは、この美しい古都に似あわず、まるで殺風景な工場のように巨大な姿を曝《さら》している。臓器移植を含め、ヨーロッパの先端医療の中心地の一つである。そのアンバランスが心に引っかかった。

友人は、そこからさらに西に三十キロほど行った北海に面した町の自宅に私を案内した。なんという美しい田園風景であろうか。見渡す限り、まるで短冊《たんざく》のように緑のライ麦畠《ばたけ》が続いている。国土の四十％が海面より低いこの国の農地は、干拓された土地に運河が縦横に引かれ、まことに美しい田園風景を作り出している。

友人の家は、白と紫のヒヤシンス畠の向こうの、小高い丘にあった。花が満開になると、ヒヤシンスの香りに包まれるという。

「素晴らしい自然ですね」と言うと、友人は、間もなくこの美しい風景がなくなるのだという。もともとこの丘は、北海から吹き寄せられた砂で出来た砂丘だった。そこに黒い土を入れて家が建ち、ヒヤシンス畠が作られた。それを砂丘に戻すのだという。オランダでは、人工的に作った自然をもとの姿に戻すという運動が盛んになっている。川も海岸も人間が変えてしまった。それを原形に戻す。少々の犠牲があっても、それに堪えなければならない。随分強引な運動だが、友人は無条件でそれに従うという。

当面の自分の利害ではなく、自然に戻ることを優先する。友人のこの考え方に、私は動かされた。それに比して、日本の公共事業の現状はどうだろうか。

夢と仮想現実

ある大学の文学部の特別講義に呼ばれて、中世文学に現われた夢の話をした。夢をみるのは人間の重要な生理機能である。夢をみることは、心の奥に隠されていた根源的、本能的なものを解き放つことらしい。

中世文学、ことに能では、夢の中に現われた死者が、さまざまなことを物語る。現実にはあり得ない新しい視点から、自分や世界を見る機会を与えるのだ。

現代人の私たちが能を観て感動するのは、死者の異次元からの眼でこの世の喜びや悲しみを眺めるという得難い経験ができるからである。戦乱や飢饉《ききん》に見舞われた苦しい現実から離れて、夢という別の世界で美や理想の姿を垣間見《かいまみ》るのが能の世界であった。それは見る者の人生を広げ、精神を充実させた。

そんなことを語りながら、ふと別のことを思った。近ごろ若者の間に流行《はや》っている仮想現実、バーチャル・リアリティーのことである。

コンピューターゲームでは、現実にはあり得ない異次元の世界が現われる。ここで少年たちは、もともと持っていない別の能力を持つ。暴力も、理想の異性も自分のものだ。ここでは自分が異次元まで広がっている。

メールもインターネットも、現実にある自分という存在を消すことができる。パソコンの中に仮想の自分を作り出し、そいつが普通ならできないことまでやってしまう。そういう世界が誰の手にも入る。その仮想の自分は、途方もない犯罪さえ犯すかもしれない。最近の少年犯罪には、これが現われている。

こういう非現実世界との交流は、夢の世界とどう違うのか。中世の夢の場合は、夢をみる方の現実、つまり現《うつつ》の世界がはっきりしていた。どんなに夢に逃げ込んでも引き戻される現実。生々しい現実が確かなものとしてあった。それ故《ゆえ》に夢は、創造的な要素であり得たのだ。

しかし、現実が希薄になった状態で夢みるのは危険である。バーチャルな世界からいつでも引き返せる現実を若者に所有させなければ、夢は必ず復讐《ふくしゅう》する。

研究する場所

長い間大学の医学部の教授をしてきたが、他の学部のことは全く知らないで過ごした。毎朝大学の研究室に行って、実験や研究の指導をし、論文の執筆や実験で帰宅が深夜を過ぎることも多かった。毎日研究室に行かなければ仕事にならない。

ある文学部の先生にそう話したら、「いつ勉強するのですか」と訊《き》かれてびっくりした。私は、勉強は研究室でするものと思っていたが、文学部の先生は、勉強は自宅でするものと考えているようだった。研究室は、資料や本が置かれている場所で、必要なものは家に持ち帰って、終日それを相手に勉強する。資料が必要な時やほかの先生と討論する時だけ、研究室に行けばよい。調べ物や執筆は、行きつけの喫茶店でやる人もいる。毎日大学に行くのは時間の浪費だと言う。

学問の領域や専門によって、学者が研究する場所はこんなに違うのである。キャンパス内で、なかなか出会えないのも無理はない。

そういえば、農学部で森林の研究をしていた、私の尊敬する先生は、北海道の演習林でほとんどの時間を過ごし、停年退官まで一度も教授会に出席しなかったという。遺跡の発掘を専門とする考古学者は、主として発掘現場が研究の場だし、海洋科学の先生は船の上で研究している。民族学の研究者が、アジアやアフリカでなく大学の研究室にこもっていたのでは研究になるまい。世界中どこもが研究の場なのである。

医学部にいると、毎日手を動かして実験をし、同じ場所で文献を読んで論文を書くというのが研究だと思いこんでしまう。あまり大学には現われない文学部の先生を怠け者のように見てしまう。文学部の先生からみれば、研究室に入りびたっていて、どうして考えの発展ができるのかと思うだろう。

総合大学はこういう行動様式の違う学者が集まっているところであるが、お互いに出会う機会は少ない。でもこれからは、お互いに越境して別の場に降り立ち、他の領域から学ぶことが大切であろうと思った。

日本酒への不満

「昔の二級酒のような酒が飲みたい」

そう言ったら友だちがけげんな顔をした。その友だちが持ってきてくれた限定醸造の吟醸酒を飲みながらの話なのだから。

私はもともとは大酒飲みであった。一升酒とはゆかぬまでも、それに近いくらいは飲んだ。ウィスキーも焼酎《しょうちゅう》も人並み以上に飲んだ。

ところがこのところ、毎日せいぜいビール二本か、許されればワインをボトルの半分強。お酒、つまり日本酒を飲むことは稀《まれ》になった。

六十五歳を過ぎて体力が衰えたからということもある。でも本当の理由はお酒が不味《まず》くなったからである。

若い頃大酒飲みだったことが知れ渡って、お中元やお歳暮に教え子や知人からお酒が届く。純米大吟醸とか限定醸造とか、名だたる銘酒ばかりだ。天下に名を響かせる銘酒、希少で有名な銘醸酒、それが桐箱に入ったり金色の箱に入って届く。

みんなさすがにおいしい。その上、人の情がこもった贈り物である。冷やしたり、古いぐいのみを持ち出したりしてありがたく頂く。

でもこういう銘醸酒は、毎日晩酌に飲むものではない。気分を改めて恭《うやうや》しく飲むものだ。毎夕、目刺しや冷奴《ひややっこ》で頂くにはコクがあり過ぎる。フマール酸などの香りや極《ご》味《み》が強すぎるのだ。

毎日の晩酌には、何でもない水のような酒がよい。さっぱりして一寸《ちょっと》苦味のある昔の二級酒のようなのをお燗《かん》して頂くのがいい。でもそういう到来物はないので、やむを得ず吟醸酒を飲むことになる。

大体日本酒は努力していない。いい酒をつくるのに、米を削って芯《しん》の部分だけを使って、精魂こめて醸造すればいいと思っている。本当は、熟成させて複雑な化学反応を起こさせるなど、ワインと同様な努力をして初めていい酒ができる。新酒を一年で売り尽くすようなレベルでは、文化としての酒は育たない。

などとブツブツ不平を言いながら、友だちお持たせの大吟醸を一本飲んでしまった。ごめんなさい。

茸《きのこ》と地方文化

ヨーロッパで会議があったので、久しぶりに北イタリアを旅することにした。秋のイタリアはおいしいものが多いので、出発前から胸が躍った。

イタリアの九月は茸の季節。アペニン山脈にザーッと一雨来ると、ポルチーニという茸が顔を出す。椎茸《しいたけ》より大きいイグチの仲間だ。干したのは日本でも手に入るが、新鮮なのはイタリアにしか無い。それもこの季節だけ。

私はホテルに着いて、早速茸料理のレストランをさがしてもらった。幸い近くに、二流だけどおいしいレストランがあるという。

私は家内と友人をつれてレストランに乗り込んだ。古顔のボーイに、「ポルチーニ茸のロースト」というと、ニヤリと笑った。

やがて大ぶりの椎茸ほどの傘を、ニンニクの入ったオリーブ油でさっと焼いたのが現われた。私たちは、よく冷えた辛口の白ワインで舌つづみを打った。調理法にやや不満はあったが、私たちはイタリアの秋を満喫した。

次のパスタも、黒トリュフのかかったフェトチーニを注文した。トリュフもイタリア北部のピエモンテ地方の特産だ。まだ走りなので少々高いが、ふんぱつしよう。

平打ちのパスタをバターで軽く和《あ》えた上に、カンナのようなもので薄く削ったトリュフをいっぱいかけたのが現われた。フォークでかきまぜると、あの退廃的な匂《にお》いがぱあっとあたりに広がった。別のパスタを注文した妻が、羨《うらや》ましそうにこちらをにらんだ。

私はニヤニヤしながらパスタに茸をからませて食べた。白ワインとともに、強烈なトリュフの香りが私の脳下垂体のあたりを衝《つ》いた。気絶してしまいそうだった。

もう少したつと、このあたりにも白トリュフが出廻る。黒トリュフよりもっと優雅で、貴婦人のような白トリュフ。今回は残念ながらどこでも出合わなかった。

おいしいお話だけを聞かせてまことに申しわけないが、こういう喜びを与えるのもその国の「文化」である。日本の地方も、こういう財産を大切に育てることが大切だと言いたいのである。

朝のゆったりした時間

リグリア海に面したイタリアの都市、ジェノバの郊外に滞在した。ネルヴィという小さな町である。人々はジェノバまで列車で通勤している。

ある朝、次の目的地に行くためネルヴィの駅に行った。切符を買って、自分で機械に差し込んでスタンプを押す。地下道を通って、海を見下ろすホームに出た。朝の日差しがまぶしかった。

ちょうど通勤時間なので、ホームにはかなりの客が列車を待っていた。十分おきに来る列車に、ホームの人たちが吸い込まれて行く。列車は適当に込んでいた。

私の列車までは大分時間があったので、ベンチに腰を下ろして待つことにした。ベンチは青い海に向かっている。初秋の爽《さわ》やかな風が吹いていた。

その時私は、さっきからベンチに座って新聞を読んでいるサラリーマン風の男がいることに気づいた。私が駅に着いた時、すでにベンチに座っていた。それから上り下り合わせて何本かの電車が発着している。でも彼は、ベンチに座って足を組んだまま、ずうっと新聞を読んでいた。私は横のベンチに座って、海を眺めながら隣りの男を観察した。

男は、新聞のページをめくりながら、隅から隅までたんねんに読んでいた。そして読み終ると、新聞をたたんでそばの屑《くず》カゴに放り込み、次にやってきたジェノバ行きの普通列車に乗り込んで行ってしまった。誰もいなくなったベンチに爽やかな海の風が吹いた。

たったそれだけのことである。でも私は妙に感心してしまった。

海に面した駅のホームにちょっと早めに来る。そして海の微風を受け、朝の日差しの中でゆっくりと新聞を読む。全部読み終えてから電車に乗って仕事場に向かう。この朝の時間が、どんなにゆったりしたものであるか。

時間に追われ、血相をかえて満員電車に飛び乗って通勤するのに比べて、この男の朝がどんなに充実したものであったかを、私はベンチに座って実感した。

米中毒

九月末、伊賀の丸柱に住む陶芸家、福森雅武さんから新米が届いた。伊賀の山峡《やまかい》の小さな田で心をこめて作った新米第一号、毎年待望の贈り物だ。

さっそく他のお米を押しのけて、夕食の膳《ぜん》に上った。なんという美しいお米だろう。飯茶碗《ぢゃわん》の上にふっくらと盛り上がって、光り輝いている。味噌汁《みそしる》だけで頂くと、口中に米の香りが漂い、嚙《か》むほどに米の味が広がる。日本人に生まれてよかったと思う。

これからは、茸が出、秋野菜が香りを増し、食欲の秋になる。しかしなんといっても主役は「米の飯」である。

日本の「米の飯」は、外国のと全然違う。中国も、タイも、インドも、アジアの国々は米の飯を食べている。ヨーロッパのイタリアやスペインも米を食べている。でも大部分はインド原産のインディカ米とその亜種である。日本のコシヒカリなどと違って、細長いポロポロした「外米」である。

インディカ米もおいしいお米だ。独特の強い香りがあって、食べつけるとはまってしまう。インドから来た友人が、日本のお米はまずいので、わざわざインディカ米を輸入していると言った。一方日本では、緊急輸入したタイ米をみんなが嫌った。

お米を食べる民族は、みんな米中毒になっているらしい。それも特定の品種に。日本人は外国に行ってさえ日本料理店に行く。米が食べたいからだ。なぜそんな中毒になったのだろうか。

そう思いながら、丸柱の「米の飯」をほおばった。むせかえるような米の匂い。歯ごたえと味。でもそれだけでは中毒にはならない。

いいかげんに嚙んで飲み込む時、米粒たちが喉《のど》の奥にぶつかりながら行進してゆくのを感じる。彼らはやがて一列縦隊になって、食道の後壁を匍匐《ほふく》前進しながら落ちてゆく。そしてどこかで静かになり胃の腑《ふ》に納まる。

この感じは、パン食にも麵《めん》食にもない。一度覚えたらやめられないのは、米の飯の食道通過の快感のせいではないだろうか。

コンビニでのお買い物

近所の五～六歳になるお嬢ちゃんが、晴れ着を着てはしゃいでいる。「どこへ行くの」と聞くと、「ママとコンビニにお買い物に行くの」と答えた。子供はみんな、母親と買い物に行くのを楽しみにしている。でもコンビニへ行くというのは意外だった。

私が子供だった戦前には、母親と買い物に行くような機会は少なかった。でもたまに行くとなると、たいていは町の商店街だったり、時にはデパートだったりした。そんな日は、母親もせいいっぱいの晴れ着を着、子供は朝から興奮していた。デパートへ行って、山ほどの買い物をかかえてレストランに入り、お子様ランチを食べる。子供にとってはお祭り以上の特別の日だった。

近所のお嬢ちゃんにとっても、今日は特別な日らしい。路地ではしゃいでいる声からもそれがわかる。でも行き先がコンビニというのは、ちょっとかわいそうな気がした。

そうは言っても、私の住んでいる近くには、買い物が楽しいような商店街はなくなってしまった。賑《にぎ》わっていた商店街はバブルの頃みんな潰《つぶ》されて、マンションや駐車場に変わった。デパートまでは、電車やバスを乗り継がなければ行けない。小さな子供を持つ夫婦には、そんな時間の余裕はないのだろう。

そうなると、近所にいくつもあるコンビニに連れて行って貰《もら》い、ちょっとした文房具などを買って貰うのが、六歳の子供にとっては最大の楽しみになるのだろう。そういえば、近くのコンビニでも、猫のマークがついたピンクの小箱や、きれいな色の消しゴムや鉛筆があった。私たちが子供のころ夜店で売っていたような、コロッケやタコ焼きもある。

コンビニというのが、緊急に必要なものだけ買いに行く実用一点ばりの店ではなくて、庶民に買い物の楽しみを提供している所なのだと初めて知った。そういえば、近くのコンビニなど大学生たちでいっぱいのときもある。

少々淋《さみ》しい気もするけれど、これが、現代なのだ。お買い物に行く喜びではしゃいでいるお嬢ちゃんに、私はせいいっぱい手を振って別れた。

愛妻弁当

今日も何気なく弁当を食べる。例によって、朝カミさんが作ってくれた弁当だ。私は自宅に近いビルの五階にある私設の事務所に通っている。カミさんは仕事を持っているので、朝出かける前に私の弁当を作っておいてくれる。私はそれをぶら下げて事務所に行き、執筆などの仕事を片付け、合間に弁当を食べる。買い置きのとろろ昆布で即席の汁を作り、カミさんの弁当を一、二分くらいで食べてしまう。大学に在職のころから何十年も続いた私の昼食だ。

今日の私の弁当の中身を公開しよう。二段弁当の上はごはん。隅っこに牛肉のつくだ煮がのっている。下の段はおかず。今日は、卵焼きが二切れ、ほうれん草のお浸しに蓮根《れんこん》の煮物、あさりのつくだ煮、胡瓜《きゅうり》の古漬け少々。これだけである。まことにシンプル、安価、平凡である。いつもは何も考えずに、義務的に食べてしまうが、今日はこれを書くために、弁当の中身を仔細《しさい》に点検したのである。

でもこの中身は、まことに健康的である。別に栄養価を計算したわけではないが、蛋白質《たんぱくしつ》、糖、ビタミン、ミネラル、ほぼバランスよく入っている。とろろ昆布まで入れれば、食物繊維も十分である。私は毎日こんな昼食を摂ってきたのだ。

好き嫌いの多い私に、とにかく義務的に一通りの栄養素を摂取させるために、カミさんはこういう弁当を考えてくれたらしい。時々はおいしくない日もあったが、我慢して食べてしまえば、栄養のバランスはほぼ保たれていた。点数をつければ、まず九十点くらいあげられると思った。

さて世の中の勤め人や学生には、母親や奥さんが作ってくれた弁当を毎日食べている人が多い。時々は弁当をじっくり眺めて、一つひとつ中身を点検してみると、作ってくれた人の愛情がわかると思う。弁当を通した人間関係を再確認できるのだ。でもこうして、弁当の中身を暴露されたうちのカミさんは、今夜ご機嫌斜めかもしれない。あるいは明日から、内容ががぜんアップするかも。

本が売れない

本が売れなくて、出版界は不況だという。若者の活字離れとか、インターネットが普及したせいなどといわれているが、私は納得していない。

私は本屋を歩くのが好きだが、大手の書店の新刊書コーナーに行けば何百冊もの新刊書が平積みにされている。毎日何十冊も出版されているに違いない。大勢の人がそこに群がっている。どの都市でも、大きな本屋さんに行けば見られる活気に満ちた風景である。

電車の中で本を読んでいる人も多い。マンガや週刊誌の人も多いが、書店のカバーをつけた単行本に読み耽《ふけ》っている人だってかなりいる。欧米に比べて本を読む人が少ないということはないと思う。

それでいて出版社は赤字だという。大手新聞社が発行していた六十年も続いた科学雑誌が休刊になったり、権威のある総合雑誌の存続が危ぶまれたりしている。

情報というけれど、情報は所有されて初めて意味を持つ。インターネットでも情報は得られるが、本屋で買った文庫本一冊をポケットに入れたときのような情報の所有感はない。

活字の情報をこれだけ求めている人がいるのに、出版界はどうして不況なのだろうか。私は、出版社自身が悪いといわざるを得ないと思う。不況といいながら、あれほどまでに新刊を乱発し続ける。あの中で、出版社がこれこそはと自信を持って送り出した本が何冊あるであろうか。

製作費の安い本を数多く出して、一冊当たりさえすればいいという商業主義で、見識のない出版を重ねてゆけば、良心的な本まで被害を蒙《こうむ》る。平積みになって人目にふれる期間はますます短くなり、すぐに店頭から消えてしまう。それればかりか、その期間に売れなかった本は断裁されてしまうというではないか。

出版社というのは、優秀な編集者を持ち、信念を持って良書を世に問うべきなのだ。出版界の不況不振を招いているのは、単なる市場主義で、自信もない新刊を乱発して、出版文化のレベルを下げてしまった出版社なのではないかと思う。

集まる所と喰う所

この秋北イタリアを旅した時、リグリア海に面した小さな漁村を廻った。美しい入江や海水浴場を持つ村は、シーズン中は観光客で賑わうが、普段は漁業だけの寒村に過ぎない。家々は教会の塔を囲んで断崖《だんがい》にはりついたように点在する。本数の少ない列車か船のほかは、車で近づくのは困難である。

私たちも、車と列車を乗り継ぎながら村々を廻った。不便で小さな村なのに、すてきにおしゃれなお店がある。地元で獲《と》れた海産物や野菜を売る食料品店、この村で加工した片口イワシの油漬けや村独特のパスタソース、オリーブ油、チーズ、乾物などが並べられている。やはり村の醸造所で作ったワインや、蒸留酒のグラッパなどを売る酒屋さん。みんな小奇麗で愛想がいい。

斜面につけられた道路が少し広くなった所は、村の人たちの集まる場所だ。いかにも昔は漁師だったらしい大柄の老人や、子供連れの父親、買物に来た主婦や黒いショールの老婦人などが、ベンチや階段に座って長々と話しこんでいる。

昼食時になったので、どこかおいしいレストランはないかと村の人に訊《き》くと、すぐさまこの崖《がけ》の上の店に行けと教えてくれた。自信たっぷりである。行ってみると、村を見下ろし、美しいリグリア海を展望する素晴らしいレストランだった。

イカやタコ、シャコなどをさっとオリーブ油で揚げたもの、貝や海老《えび》などがふんだんに入ったパスタ、そして村で作られた白ワイン。いずれも「ウム」とうならせる名品だ。

私はその時思った。地方の文化というけれど、そのためにはまず三つの条件がいると。人が集まる場所、ものを食べる場所、そして物を作る場所、この三つである。この村は風光も美しいけれど、まずこの三つがある。

日本では、地方文化の振興といえば、豪華な市民センターや公会堂を造るばかりだが、本当は町の中に、人々が集まっておいしいものを食べながら喋《しゃべ》り、そしてみんなで何かを作り出す場所が必要なのではないだろうか。

変人の資格

石井高さんは、北イタリアのクレモナ市で、三十五年以上もバイオリン作りに打ち込んでいるマエストロ（名匠）である。この秋、石井さんを訪ねた時、面白い話を聞いた。

石井さんは、親友の日本人の写真家宮田均さんと、「変人会」というのを作るのだと言われた。宮田さんは、「文藝春秋」の写真などを担当している一流の写真家である。町の老人の姿などを撮影した宮田さんの写真には、人間としての優しさがにじむ。

私は宮田さんの紹介で、あこがれのクレモナを訪れた。石井さんとは初対面だったが、すぐに意気投合してしまって、深夜まで石井さんの工房でおしゃべりをした。

理系の大学で化学を専攻しながら、バイオリン作りに魅せられてとうとうクレモナまで来てしまった。ここで一生を送るつもりだ。石井さんのバイオリン作りへの想《おも》いを聞いていると、たしかに常人ではないと思った。そんな時「変人会」の話になったのである。

石井さんのいう「変人」とはどういう人なのだろうか。それは、奇人変人というのとは少し違う。

それはまず、何でもつまらぬことを面白くしてしまう人のことである。普通の人たちがつまらないと思っていることを、面白くしてしまうような天才。そして自分は絶対に変人ではないと思っている人でなければならない。

宮田さんも石井さんも、自分は変人ではないから、変人会の会長にはならないといって譲り合っている。だから、なかなか会はスタートできないでいるらしい。

石井さんに、「あなたもメンバーになる資格がある」と言われたが、私自身は至極人格円満だと思っているので、そういう意味で合格だったのかもしれない。

しかしそう思って周りを見廻すと、変人ぶっている変人は大勢いるが、平凡にして変人というのはそう多くはない。そして身の回りのどんな小さなことでも面白くしてしまう天性の才能を持っている人は稀《まれ》である。そんな人をいま世界は求めているのではないだろうか。

立食パーティー

立食パーティーの時ほど手が三本あればいいと思うことはない。左手に料理が載った皿、右手にフォークを持つと、ビールのコップが持てない。フランス料理と上等のワインなどあったら、どうしていいかわからなくなる。遺伝子工学がこれほど発達したのだから、もう一本腕を生やして貰えないものか。

そんなこともあって、立食パーティーではご馳走《ちそう》をいただくことが難しい。もともと歩き廻って会話をするのが目的なのだからしかたないのかもしれない。でも、せっかくフォアグラのパテにありついたと思ったら、初対面の方が名刺など持ってやって来たらどうなると思う。ご馳走もワインもどこかに置いて、ポケットの名刺入れを捜す羽目になるではないか。しゃべっている相手の唾《つば》が手に持った皿にかかるのも気が気でない。外国人が遠くからニコニコして握手を求めて来たら、急いで逃げるか、ご馳走を慌《あわ》てて飲み込むほかはない。

そんなわけで、立食パーティーでは必ず料理が大量に余る。巨大なローストビーフが半分残っていたり、見事に盛り付けられたフランス料理が手つかずのままのこともある。もったいないし、恨めしい。大至急ほおばることができる寿司《すし》や、あっという間に飲み込める伸びたそばに人気が集まるのも、立食パーティーの持つ根本的な矛盾のせいだ。

この間も、一流ホテルで開かれた学会の懇親パーティーで、この矛盾に出合った。長い祝辞が何人も続いて、ようやく何かにありつけると思ったら、高名な老先生につかまって長々と話を承った。あちこちでそんなことが起こっているらしく、豪華な料理はあまり減っていない。

いよいよお開き近くになると、寿司やそばはめでたく売り切れたが、子羊のローストも、鮭《さけ》のスモークもまだ沢山残っている。あれはどうなるのだろうか。全部捨ててしまうに違いない。他人《ひと》ごとながら気になってしまう。

ようやく大先生から解放されて、ご馳走の山に走って行こうとした時、無情にも蛍の光が鳴り始めた。

心のありか

この間、第一線で脳生理学の研究をしている先生と話をしていた時のことだ。急に

「心って本当にあるの？」という恐ろしい話になった。私たちはものを考え、喜怒哀楽を感じ、人を愛したり憎んだりしている。それは皆、「心」の働きだと信じている。その「心」のありかが本当に存在するのかというのである。

私たちは、脳のさまざまな部分を使って物の形や質を認識し、それに対する感情や行動を生み出している。しかし外部刺激の全《すべ》てを統合して認識し、意味のある行動を作り出すための、持続した心の座というようなものがあるかというと、大脳生理学ではいまのところ見つかっていないらしい。

大脳皮質の異なった部位が五感の情報をバラバラに認識し、反応している神経細胞の電気活動の総体を「心」と呼んでいるだけで、別に「心」という特別な働きをする場所があるわけではない。「心」があると思っていたのは、誤解だったかもしれないというのだ。

早い話が、私はいま、山形県に住む友人が送ってくれたたぐい稀《まれ》な銘酒を飲んで少々酩酊《めいてい》しながらこれを書いている。これはぬるい透明な液体で、家人が寝静まった家の中で、馥郁《ふくいく》とした香りを放っている。口に含めば、淡雪のようなほんのりした甘さが口中に広がる。飲み込んだあとにさわやかな苦味が残って、それがまたいい。そこには送ってくれた友人の情けが含まれている。そう「心」は感じている。

ところが、透明とか、ぬるいとか、液体とか、甘いとか、香りとかいう感覚は、脳の別々の部位が働いて感じている。もし最新の機械で脳のどの部分が反応しているかをのぞいてみれば、大脳皮質の異なった部位がバラバラに電気的活動をしているのが見えるだけだろう。それをまとめた上で、酒のうまさを堪能《たんのう》し、人の情けに涙している心の座は見つからないというのだからどうしよう。そういってうろたえている私の心は一体どこにあるんだ。だんだん文章のろれつもまわらなくなった。

縁側と座ぶとん

何人かの友人と、中華料理のテーブルを囲んでいた。メンバーはみなさまざまな領域の第一線で活躍している連中である。七十歳をトップに、今年還暦を迎えた人が二人いた。

いきおい話題は年齢のことになった。今年還暦を迎えた友が言った。

「昔は六十歳といったら随分老人だと思っていたけど、自分がなってみたらそんな感じはしないな」

「そうだよ。ぼくらが若かったころは、六十の老人といったら、日だまりの縁側で座ぶとんに座って、一日中新聞を読んでいるというイメージだったよな。そばには猫が丸くなっていて、時々キセルで煙草《たばこ》を吸って……」

そうしたら、もう一人のメンバーが言った。

「でも、そういっても、近ごろ縁側のある家なんかないじゃないか。座ぶとんだってない家の方が多い。マンションのベランダに腰掛けたのでは、さまにならない」

「それにマンションで猫を飼うわけにはゆかないわ。第一、キセルなんて見たことない」

たしかにその通りである。昔の老人の七つ道具のようなものが、いつの間にやら家の中から消え失《う》せてしまったのである。昔の老人のように、日だまりでゆったりと新聞を読むような環境は失われてしまった。

その代わり還暦になっても、額に汗してあくせく働いている。いや働くことができるならばましだ。否応《いやおう》なく退職させられて、どう暮らしていいのかわからない人も多い。

気がついてみたら、家には縁側も座ぶとんもない。外に働くところもない。三界に家なしとはこういうことだ。

でも、テーブルの周りに集まった連中は、みな役職を持ったり、各界で活躍している連中だった。日だまりの座ぶとんに座る暇などない。平均寿命が延びて、六十歳で老人というわけにはゆかなくなったのだから仕方がない。

でもいつかはそういう日が必ず来る。あらゆる公職を離れ、外での仕事もなくなった時、ゆっくりと新聞を読む定番の居場所が、あなたの家にはあるだろうか。

「何で年寄る」

年をとると、年末が来るたびに一種の息苦しさを感じる。ああ、やっと一年生き延びることができた。でも翌年については、青年のころのような確とした抱負や期待があるわけではない。でも年末は否応なく刻々と近付いて来る。

子供のころは、「もういくつ寝るとお正月」と新年を待ちわびる気持ちがあった。新年は未知の喜びとともにやって来た。なんだか知らないがお目出度《めでた》かったのである。それに昔は数え年だったから、お正月には一つ年を取る。年が改まるとともに、子供は少し大きくなった気がしたものだ。

しかし老年になると、年が新たになるのは別に目出度くもない。また一つの区切りが来たというだけである。今年は何かまとまったことを達成しただろうか。あれもこれも未完のままに終ってしまった。そのまま年を越さなければならない。それが息苦しさの原因である。

この秋、カリフォルニア州北部の海岸の町を訪れた。午後海辺に散歩に行った。太平洋から吹き付ける風で海は荒れて灰色だった。砂浜には沢山の流木が流れ着いて、日に曝《さら》されていた。白い木が打ち重なって、何かオブジェのようになっているのを私はしばらくぼんやりと眺めた。

日差しは暖かかったが、海岸にほとんど人影はない。風が唸《うな》るように吹き過ぎて、白い波が牙《きば》をむいて押し寄せていた。私は、なすこともなく時間が過ぎてゆくのを見ていた。一群の鳥が、風に逆らって彼方《かなた》の雲の中に飛び去った。

その時私の中に、「この秋は何で年寄る雲に鳥」という芭蕉《ばしよう》の句が浮かんできた。正確にはどんな意味だったか思い出せなかったが、「何で年寄る」という一句が身にこたえた。

この暮れ私は、「何で年寄る」のだろうか。何か心の温まることでもあるだろうか。大晦日《おおみそか》は家でくつろいでいるだろうか。それとも忙しく飛びまわっているのだろうか。芭蕉にこの句を作らせた頼りなさが、海風とともに私の懐《ふところ》に吹き込んだ。

「ただいま初期化中」

暮れにちょっとひどい風邪をひいてしまった。

インフルエンザのワクチンを注射していたので、大したことあるまいとたかをくくって忘年会などに出かけたおかげで、喉《のど》の痛み、咳《せき》、くしゃみ、痰《たん》、そして熱が出た上に関節が痛くなった。ウイルスが各所に侵入して破壊が始まっているのがわかった。白血球やマクロファージ（免疫細胞の一種）などの細胞が大動員されて、肺や気管支、副鼻腔《ふくびくう》などで大騒ぎしているにちがいない。

はじめはくしゃみが出、鼻水が出た。都心の繁華街を歩いてきたあとだから、黒いススのようなものが混じっていた。

そのうちに咳が出るようになり、痰が出た。あぶくだけではなくて汚い黄色いものも混じっていた。気管支で防衛していた白血球の残骸《ざんがい》であろう。ウイルスだけではなく細胞感染も始まったのかもしれない。熱は大したことはなかったが、軽い解熱《げねつ》剤を飲んで、温かくしてその夜は早く寝床についた。抗生物質も飲んでおこう。

夜中に少々熱が出たらしい。汗が吹き出している。枕元《まくらもと》の水を二杯ほど飲んだ。甘露、甘露。

翌朝はまだ熱があった。約束の仕事のことで電話がかかってきたが、うまく頭が働かない。記憶のファイルがうまく出てこない。

午後には鼻水が大量に出た。痰もすっかり透明なあわ状になった。ゆっくり休んだので少しやる気が出てきたが何をやっても間違いばかりではかどらない。

その時私は思った。私はただいま「初期化中」なのだ。コンピューターのスイッチを入れると出てくる、「ただいま○○を初期化中です」というあれだ。

一年余り鼻も喉も気管支も、こき使い続けてきた。気付かなかったけれど、あちこちに故障が重なっていたのかもしれない。そこに見知らぬウイルスの侵入。あちこちのファイルがクラッシュして、更新しなければ使うことができない。肺でも気管支でも、いま「初期化」による修復の真っ最中なのである。だから、人に会ってうまく対応できなかったら、「ただいま初期化中」と言い訳をしようと思う。

シータ君のお正月

昨年は十二月になっても東京は暖かかったが、月の半ばを過ぎて急に寒くなった。

私も家内も風邪を引いて、年末の行事はすべて取り止め、大掃除も中止ということになってしまった。

収まらないのは、わが家のシータ君である。一昨年から飼っている満二歳になったビーグル犬だが、急激な気温の低下に冬毛が間に合わなかったらしく、寒い夜など悲しそうにピーピー鳴いていた。でも家の中に入れてしまったら悪い癖がつく。お気に入りの毛布を入れてやって、我慢してもらうことにした。

去年はしたがって、年末のシャンプーも取り止めとなった。少々臭《にお》うが、この寒さでは仕方がない。昼間は日だまりに寝そべっているが、夜は毛布の上で寒そうに震えていた。

大晦日が近付くにつれて、寒さに適応したのかあまり鳴かなくなった。でも毎夜の散歩の時間が短くなったのが不満らしく、しきりにドアをひっかいたりするようになった。

私たち老夫婦には、別に改まったお正月が来るわけではない。でも例年のように軒に松飾りをつるし、ステレオの棚の上には鏡餅《かがみもち》を飾った。暖房のきいた室内で屠蘇《とそ》を祝い、温かいお雑煮で二十一世紀の幕開けを迎えた。

大晦日が近付いたある日、犬小屋の周りを掃除しながら考えた。シータ君のお正月はどうしようか。少しはまともな新春を迎えさせてやりたい。私は家内と犬小屋をきれいに洗い、別の暖かい毛布を敷いてやった。そうだ、ここは暖房機の室外機が出す冷たい風が吹き付けるところだ。私は段ボールで周りを覆《おお》い、冷風を避けられるように工夫した。余っていた小さな松飾りを上の壁にぶら下げて、まるでホームレスのシェルターのような迎春の用意ができた。犬はキョトンとしていたが、しばらくして行ってみると、新しい毛布の上で心地良さそうに寝ていた。

そして元旦の朝。私たちは温かい雑煮に、デパートで買ったお節《せち》料理だったが、シータ君は、年末のパーティーで余ったスペアリブの骨を何本も貰《もら》ってご機嫌なお正月となった。

母の手紙

二〇〇一年一月二日の朝、私の家にプラスチックの袋に入った四通の手紙が配達された。差出人は、八年前に癌《がん》で亡《な》くなった私の母だった。投函《とうかん》は昭和六十年、つまり一九八五年、九月一日の消印が押されている。なんと十五年前に出した母の手紙が届いたのだ。

文面は、「新しい世紀の元旦おめでとう」と、家族全員元気で二十一世紀を迎えたことを祝う言葉から始まっている。この手紙が出された一九八五年に、つくば市で科学万博が開かれ、それを記念して、二十一世紀の元旦に届けられるタイムカプセルの手紙を、万博会場で受け付けていると書いてあった。この年は、「日航機の墜落事故があって、遺族は大変苦しんでいる」とも記してある。

私たち夫婦宛《あて》の手紙のほかに、私の子供ら三人それぞれに別の手紙があり、新世紀を迎えるお祝いと激励の言葉が記してあった。その年、私の長男は高校の三年生だったが、しっかり勉強して大学受験をクリアし、この手紙が届く二〇〇一年には、きっと若い医師となって活躍しているでしょうと結ばれていた。中学生だった私の二人の娘たちにも、十五年後の成人した姿を予想しながら、幸福な未来を祈っていた。

当時母は、すでに癌の手術を受けて、再発すれば、希望がないことを知っていた。そんななかで彼女は、自分がいなくなったあとの二〇〇一年の元旦の、孫たちの姿を思い描きながらこの手紙を書いたものらしい。

間もなく妹から電話があって、母の孫たち全員の一人ひとり宛に、母の手紙が今朝届けられたと知らされた。死を覚悟した母は、孫たちへの想《おも》いを、科学万博のタイムカプセルに封じ込めて、新世紀の年頭に届けさせることを企《たくら》んだのだ。

母が十五年前に思い描いたことは、おおむね当たっていた。いま孫たちはすでに成人し、結婚してそれぞれの道を歩んでいる。そんなことはあたり前のようにも見えるが、この死者からの手紙は、それが多くの人々の願いの上に成就《じょうじゅ》したものであることを、改めて思い出させた。

みそぎということ

この間、京セラ名誉会長の稲盛和夫さんと、科学技術の未来について対談をしたとき、生命操作の現状について、「もう神の領域に土足で踏み込んだという感じだ。その前にみそぎだとかいろいろなことをする必要があると思う」と発言されたのが心に残った。

これは、ますます拡大している生殖医療やクローン技術などの生命操作を指して言われたものと思われる。いまの科学技術には、自らそれを規正してゆく論理はないし、欲望のまま推進してきた現代社会に、それを制限する資格はない。どうしてよいのか誰も分からないというのが現状である。

そんななかで、稲盛さんの「みそぎが必要」という発言は、重い響きを持っている。

「みそぎ」というのを辞書で引くと、「身に罪や穢《けが》れのある時や、重大な神事などに従う前に、川や海で身を洗い清めること」という定義が書いてある。人間の生命に直接介入する技術が、神の領域に足を踏み入れることになるとしたら、その前に自然の前に心身を洗い清める手続きが必要ということになる。

科学の実験でも技術の開発でも、生命操作に関与する当事者は、まず自らに問いかける機会を持たなければならない。仕事の動機に穢れたところがないか、どこかに罪悪感がひそんでいないかと。

研究には、しばしば利己的な欲望が伴うし、開発には金銭的な利害がからむ。科学技術が爆発的な発展をした大本には、明らかに人間の無限の欲望があった。それを禁止することはできない。

しかしそれは、「人間の領域」内でのことである。そこにむき出しの欲望や利己的な競争があったとしてもしかたがない。でも稲盛さんが「神の領域」と言った、生命操作の世界に足を踏み入れる研究者だけは、穢れや罪を祓《はら》っておかねばならない。自然の前で自らを点検し、いささかでも心にやましいことがないかどうか、とにかく立ち止まって考えてみる儀式が必要だと思うのだ。

力士たちの笑顔

久し振りに初場所を見に行った。

両国駅を降りたあたりで、若い力士たちの着物姿に出会った。やっぱり若者たち、屈託のない笑顔が心に残った。

私の席は正面下段の升席なので、力士たちの顔を間近に見ることができる。少し早く行って、幕下の取組から見ていた。

相撲を見に行って、いつも嬉《うれ》しく思うのは、そこに古来の日本の若者の顔を見ることができることだ。それが本気になって勝負する。鍛え上げた体が土俵の上で紅潮し、気力が顔面にみなぎる。一瞬のうちに勝負がつき、勝った力士の背中には隠された喜びがみなぎる。無念さを秘めて引き上げる負けた力士にも、惜しみない拍手が送られる。ほかでは見られなくなった日本の若者の本当の姿が、ここでは見られる。だから相撲は、人気が衰えないのだ。

そう思いながら、十両の相撲を見ていて気がついた。満場を沸かせている若者たちの年齢は、ほとんどが二十代半ばだ。近ごろとみに風格を増した横綱貴乃花だって二十八歳。

私が数年前まで教えていた、大学院修士課程の学生も同じ年ごろである。しかし本当に研究を一生の仕事として、勝負をかけて実験に打ち込んでいたのは何人いるだろうか。髪を茶色に染めて、渋谷あたりにたむろしているのも、ほぼ同じ年齢だ。この間の成人式で、世間の顰蹙《ひんしゅく》を買った若者たちよりちょっと年上なだけだ。それなのに、なんと風格が違うことか。

力士が活躍できる期間は短い。平均寿命だって短いらしい。そして三十代で引退したときには、力士としての生命は終っている。

その短い人生に全《すべ》てをかけて、苦しい修業に耐え抜いた者だけが、この土俵に上がっている。自《おの》ずから一つの人生観が顔に現われるに違いない。

若い力士たちが、同年代の若者と比べようもない風格を漂わせているのは、必然的に確立しなければならなかった人生への覚悟のせいであろう。その裏側に見え隠れする屈託のなさが魅力なのだ。

文化財の保護

凍りついた東京を逃げ出して、沖縄に行った。あちらは気温二十三度、陽光がふりそそぐ別天地だった。縮こまっていた体の細胞が息を吹き返して、ニコニコしているのがわかった。二泊三日の短い旅行だったが、寒いのが大嫌いな私にはありがたい休暇となった。

ついでに足をのばして石垣島へも行こう。石垣島からフェリーボートで向かいの竹富島へ渡ろう。バナナの葉がそよぐ常夏《とこなつ》の島で、赤い瓦《かわら》のエキゾチックな家々を見たい。先年、国の文化財に指定されたというから、きっと美しい家並みを見ることができるだろう。

そう思って高速船に乗った。たった十五分ほどで竹富島の港に着いた。清潔な港には送迎のマイクロバスが待っていて、すぐさま観光の起点の待合所につれてゆかれた。そこから三線《さんしん》と解説つきの水牛車で、島の一隅を廻ってくれる。冬というのにブーゲンビリアが咲き誇り、日差しはもう初夏のようだ。

赤っぽい土の路《みち》の両側は、灰色の珊瑚《さんご》石灰岩を積み上げた石垣である。バナナの葉の向こうに赤瓦の屋根が見え、シーサーがこちらを向いている。所々にはコンクリートやスレート瓦の家があるが、多くは古来の造りの美しい家々である。その家々は水牛の姿とよく似合う。よくぞここまで保存してくれた。文化財保護法はありがたいものだと思った。

ところがしばらくすると、ちょっと変な感じがしてきた。美しい家々が保存されているのに、そこに住む人々の気配が感じられないのだ。道を行くのは観光客とガイド、そして観光用のバスや水牛車。海岸近くでも、観光客のためのみやげ屋とその店員だけ。この島で昔ながらに生活している、「ふつうの」人々の姿がどこにも見当たらない。

家々の造りは、文化財として厳格に規制され、それを守るための補助金も下りている。おかげで美しい風景は保存されて、観光客のためのセットになっているが、そこに生きる人々の姿は消失してしまった。人間の暮らしまで含めた保護でなければ、単なる観光開発と同じことになってしまうのではないか。

昔は良かった

都心に近いある大学を訪ねるのに、少し時間があったので駅を降りてから歩くことにした。ずっと前に一度行ったことがあるので、すぐ行き着けると思ったからだ。ビルに囲まれた細い道を、方角だけを頼りに歩いて行ったが迷ってしまった。大きな大学だけれど、いまはビルの間に埋まって、記憶などあてにならなかった。何度も道を訊《たず》ねながら、さんざん迂回《うかい》し、ようやくたどり着いたら、待ちかねていた友人が言った。

「君も年取って方向感覚が悪くなったね」

「だって、やたらに新しい建物が建って、このあたりもすっかり変わってしまったから——」

「そうだよ。昔は駅を降りるとこの建物が正面に見えたし、街路樹のある通りが一本あっただけだものね」

そんなことを話しているうちに、だんだん話は昔のことになった。友人は、いまこの大学の副学長をしている。さまざまなマネジメントで忙殺されているらしい。

「昔は良かったよ。大学に九時に来て、十時半から講義をすれば、あとは自分の勉強だけだった。でもいまは毎日会議があって、役所に出向いたり、学生と交渉したり、厄介なことばっかりで一日過ぎてしまう」

確かにこの几帳面《きちょうめん》な学究である友人にとって、学問以外の複雑なことで忙殺される日常は苦痛であろう。そしてこの大学も、周りをオフィスビルやマンションに囲まれて、迂回しなければ行けなくなってしまった。

そんな話をしているうちに、私はふと思った。老人たちが「昔は良かった」というとき、何が良かったかというと、昔は単純でわかり易《やす》かったということなのだ。あとになって考えるとみんな明白な筋道がついていて、いまのように複雑で予測しにくい世界ではなかった。少なくとも記憶の中でそう整理してしまっている。

ところが現実は不確かなことが多くて、単純明快というわけにはゆかない。「昔は良かった」と老人が言うのは、「いまは複雑だけれど過去はわかり易かった」というだけのことなのかもしれない。

地震の陰の人々

大地震から九時間後のインド、ニューデリー空港に降り立った。迎えに来てくれた友人から、南西に八百キロ離れたグジャラート州で未曾有《みぞう》の大震災が起こったことを聞かされた。ニューデリーでもかなりの揺れがあって、彼は自分のオフィスから飛び出したと語った。

翌朝の新聞には、凄《すさ》まじい災害の爪《つめ》あとが写真で報じられた。何面にもわたって、悲惨な住民の姿、救《たす》けを求める老人や子供の写真が掲載され、阪神大震災を上回る大惨事であることを知った。

初めはマグニチュード7前後と報じられたのが翌日には7・9に訂正され、死者の数も、二千人ていどだったのが翌日には一万人余、次の日には二万五千人を超すだろうというように毎日万単位で増えた。

予定されていた多くの行事、ことに芸能関係のものは取り止めになり、独立記念日三日後に予定されていたパレードも中止になった。地震に居あわせなかった私たちにも、災害がいかに凄まじかったか身に迫った。

しかし街に出てみると、ニューデリーは相変わらずの雑踏で、地震などどこ吹く風といった賑《にぎ》わいだった。人口密集地の家々はレンガを積み上げただけの二層三層の建物が多く、建築途上の高層アパートも、貧しい鉄筋のいかにも弱々しいコンクリートである。

スラムに至っては、日干しレンガと板で囲っただけの家が多いし、村に行けば牛糞《ぎゅうふん》を重ねただけの家もある。大地震に見舞われたら、ひとたまりもないだろう。バスの窓から、家々とそこにひしめく人々の姿を見て、グジャラート州の惨劇を想像して身震いした。大使館からの情報では、道路が分断されて、日本からの救援の車も近づくことができないという。

しかし人々は、まるで何事もなかったかのようにその日の生活を営んでいた。スラムに近い人口密集地では、自分たちが生きるのに精一杯の人たちがひしめき合っていた。

私は思った。人々は八百キロ先の大惨事を心の底で悼《いた》みながらも、まるで何もなかったかのように生きなければならぬ。人間の歴史はいつもこうだった、と悟らざるを得なかった。

差別と排泄物《はいせつぶつ》の処理

今回インドを訪れたとき、前から興味を持っていた一つのＮＧＯの拠点に行った。スラブー衛生運動という活動をしている財団の展示場である。そこには、便所を改良するための研究とその実地応用が展示されている。いわば便所の博物館である。

ご承知の通り、インドには根深いカースト制度がある。いまは名目上廃止されたことになっているが、その影は残っている。その最底辺の、いわゆるアウトカーストの中には、他人の便を始末することだけが役割という人たちがいた。身分が上の人たちに雇われ、その家の排泄物を入れた桶《おけ》を頭に載せて、川や野原に運んで捨てる。それが、一生しなければならない職業だった。

タゴールもガンジーも、この国を近代化しようとした指導者たちは皆、この凄まじい差別下にある職業を気にしていた。アウトカーストを差別から救うことこそ、この国がやらなければならぬ一大事だった。そのためには排泄物を処理する近代的な設備が必要である。

ビハール州の寒村生まれのパタータク博士が、この問題に立ち向かったのは三十年も前のことである。まず便所そのものを改善しなければならない。人力に頼らぬといっても、資源を浪費したり、環境を汚染してはいけない。西洋式の水洗便所は水を大量に使い、たとえ浄化しても最終的には川や海を有機物で汚染することになる。水の少ない国や、人口が多く河川が少ない国では役に立たない。コストが高くても駄目だ。

この財団が最終的に作ったのは、直径七〜八メートルの大きなレンガ張りのタンクである。少量の水で排泄物を流し込み、水分を地中に吸収させている間に、汚物は微生物で消化してしまう。一つのタンクが六〜七年は使える。すでに市内の公園をはじめ多くの州で利用され、サウジアラビアなど数カ国に輸出しているという。

まだ完成というわけではないが、被差別者をなくし、生態系の力で排泄物を処理するというこの財団の理念を、先進諸国は学ばなければならないと思った。

犯罪としての破産

宮崎県の巨大リゾート、シーガイアが倒産して、巨大な負債が自治体や県民に残されたという。

私は数年前、このリゾートに行ったことがある。見渡す限りの南国の海、その海を見下ろす豪壮なホテル、ゴルフ場や贅《ぜい》を尽くしたリゾート施設が連なっている。桁《けた》はずれに壮大な開発である。しかしこの美しい自然の中で、本当にこのリゾートがあるべき姿なのか、そして本当に必要なのかと、人影もまばらな大きな食堂で疑問に思ったことも確かである。

その後は思い出すことさえなかったが、今回会社更生法の適用を申請したという記者会見を聞いて、どういうわけかむらむらと怒りがこみあげてきた。

第三セクターとはいえ、利益が目的の巨大施設を、県民からの巨額の借入金で作った。バブルが崩壊したといっても、あまりに先見性のない計画だったのではないか。目論見《もくろみ》がはずれたので会社更生法で再生したいといったって、世間の理解が得られるはずはない。いくら頭を下げても、はいそうですかで済ますわけにはゆかない。すでに美しい海の景観は、負債で固まったコンクリートで人工のものになってしまった。

今回の破綻《はたん》には、経営者、県、銀行それぞれに責めがあるだろう。失敗を、県民の税金や公的資金でカバーするなど筋違いだといっても、そうしなければこの巨大な設備はそのまま廃墟《はいきょ》に化すほかはない。そして大勢の人たちが職を失う。廃墟といったって、歴史的な遺跡と違ってなんと醜悪なことか。

そごうデパートの閉鎖や銀行の破綻など、単なる経営の失敗だけでは済まされない事件が相次いでいる。経営者は会社更生法を申請してぬくぬくと生き延びるが、破壊された自然や職を失った人の人生はもとには戻らない。

こういう事例は、明らかに人間の犯罪である。経済情勢の悪化とか経営の失敗などに帰せられる問題ではない。本当は、人間の欲望が、自然と人間の調和を悪意をもって破壊した犯罪として、経営者や県知事の刑事責任まで問うべきではないだろうか。

アイムソーリー

アメリカ原子力潜水艦の衝突によるえひめ丸沈没事件は、まことに痛ましい事件であった。犠牲者が訓練中の高校生で、潜水艦は見学のための民間人が操作していたというのだから、やり切れぬ思いでいっぱいになる。

潜水艦は衝突後も近くにいたのに、救助活動を行なわなかった。それは事故というより人道上許すことのできない犯罪行為だったと思う。その点は今後厳重に追及してゆかなければなるまい。

事故後の日米両国の対応についてみると、アメリカ側はいちはやくブッシュ大統領の陳謝の表明があり、事件の徹底的な調査解明と責任の追及が約束された。日本側は、森首相の対応の仕方に問題があったものの、日米関係を損なわぬようにとの配慮から、事態は沈静に向かって動いている。ことにアメリカ側が公式に陳謝の意を表明したのだから、これ以上どう謝れというのかという空気が生まれつつあった。

しかし、こんなことで政治決着になるのだったら、遺族の方はどこに怒りをぶつけたらいいのだろうか。家族の気持ちは、日米関係への配慮などでは収まらぬはずだ。

ところが査問委員会に召喚された副艦長が、傍聴席に居た遺族に向かって「アイムソーリー」と顔をくしゃくしゃにして謝ったという。第二日に出席したワドル艦長も、涙ながらに「アイムソーリー」と謝罪し、遺族も真意を汲《く》み取ることができたと報じられた。

アメリカという訴訟社会では、謝るというのは、自分の罪を初めから認めることになるので、なかなか謝らない。自己主張の方が先なのだ。アメリカで自動車保険に入ろうとしたとき、交通事故を起こしてたとえ自分の方が悪いとわかっていても、決して「アイムソーリー」とは言うなと念を押されたことがある。あとで裁判になったとき、証拠として取り上げられて不利になるという。

大統領の公式謝罪だけで政治決着というのだったら到底納得できないが、この「アイムソーリー」という異例のひと言で、私たちの怒りや遺族の悲しみの何分の一かが和らいだことは確かであろう。

いささか無気味だったこと

この間、沖縄に行くのに羽田空港に行ったときのことである。搭乗待合室には、修学旅行らしい男子中学生が集まっていた。走り廻ったり、床に座っている制服のあどけない少年たちをしばらく眺めていたとき、何かが違うのに気付いた。目付きが悪いというわけでもないし、挙動不審でもない。それなのにこれまで見慣れた日本の少年とは違った、少し動物めいたとげとげしさを感じた。

「この子たち日本人かしら」と妻に訊ねたところで気がついた。眉《まゆ》が違うのである。どの子も眉を細く三日月形に切り揃《そろ》えている。ぼそっとした眉や、太い眉の子はいない。みんな型で押したような細い弓のような眉が、目の上に描かれていた。そのため少年たちは、獣じみたとげとげしい顔になっていた。

もうひとつの体験はこうだった。深夜十二時を過ぎて地下鉄に乗ったときのことである。車内には十人余りの若い男女がばらばらに座っていた。

彼らは乗り込んで来た私にちらりと目をやったが、すぐに素知らぬ顔で下を向いて何か作業を始めた。全員が手に小さな機械を持っている。携帯電話である。私を囲むように座っている見知らぬ男女が、全員この機械を熱心にいじっている。文字送信をしているらしい。時々返事が入るらしく、一人でニヤリとしている青年もいる。作業に熱中していた隣りの座席の女性が、フフッと笑った。うっすらとニンニクの臭《にお》いが流れてきた。

別に何がおかしいというわけではない。ただ深夜の地下鉄で、私を取り巻く全員が、沈黙のうちに小さな機械をいじって、何かを交信している。機械を持っていないのは私だけだ。少し酔っていた私には、彼らが新種のエイリアンのような気がして無気味になってきた。

二十一世紀になって、何が変わったかと訊《き》かれても、別に新しい人類や文明が生まれたわけではない。でも、こういうほんの少し無気味な経験があると、やはり人間も文明もわずかずつ変わってゆくのかなと思う。そのうちこんなことは気にも留めなくなるだろう。

ふつうに戻る

「日本の様子はいかがですか」

新聞から眼をあげて、スイスの銀行家が訊《たず》ねた。ヨーロッパで小さな会議があったとき、同宿して親しくなった初老の紳士である。小さなホテルなので、朝食のテーブルをともにしてから気安く会話するようになった。

経済界の人だから、日本の景気の先行きについて心配しているらしい。

「デフレ・スパイラルとかいって訊ねているそうです」

「ほう、物価が下がっているのですか」

「あまり実感はないが、毎年少し下がっているようですよ」

「あなた方の生活はどうですか」

「私たちのように年金で暮らしてる者には、物価が下がるのはありがたいけど、購買意欲の方も低下して、前のように沢山買い物はしなくなりました」

「なるほど」と彼はうなずいて、「確かにいささかデフレ傾向のようですね」と私の顔を見つめた。

「でもあまり心配しないことにしましょう。何しろ日本は物価が高すぎた。私たちビジネスマンでさえ、東京の物価の異常な高さには驚いたものです。確かに一時は市場に活気があった。人々は必要以上にお金を使ったし、それがふつうだと思ってしまったのでしょう。でもヨーロッパのこの町をごらんなさい。日本の地方都市みたいに商品があふれているわけではないし、ああやってみな自転車を使っています。巨大なネオンサインもないし、繁盛しているレストランはみな安い。これがふつうです」

本当にその通りだった。ホテルは別に豪華でもなく、百年以上もたった古い家だった。部屋には歯ブラシもカミソリもおいてないが、清潔で家庭的だった。これがふつうなのである。

日本も、いたずらに不景気をなげき、バブルのころの賑わいを求めるのではなくて、ヨーロッパの田舎なみのふつうの物価、ふつうのなりわい、ふつうに生きることを考えるべきではないか。

英語だけじゃ駄目

オランダで開かれた小さな会議で、十人余りの友人と夕食をとった。何人かは夫人同伴だった。シャンパンが注がれて、テーブルには話の輪が広がった。ドイツ語、フランス語、英語、イタリア語などいろいろな国の言葉が飛び交っている。ヨーロッパに住んでいたら、外国語は二～三カ国語は一応しゃべれなければならない。英語だけしかしゃべれないと、どうしても話の輪から外れてしまう。

オランダやベルギー、スイスやデンマークのように、国土の大きさからいったら小国だけれど、独自の文化と言語、そして経済的にみても大きな影響力を持つ国がいくつもある。東ヨーロッパに行けばごく最近まで互いに反目しあいながら、自国の文化に強い誇りを持っている国が少なくない。そういう国々が集まっていることが、ヨーロッパの文化的豊かさを作り上げている。

しかし異なった習慣の人々が自己主張をしながら暮らすというのは、住みにくさにもつながる。ハイウェイの上の、見えない国境線を越えるともう別の国。自国の習慣や理念は、そのままでは通じない。でも郷に入れば郷に従う。そして、その国の言語や文化に敬意を払わなければならない。それが多民族で作り出されたヨーロッパ共同体で暮らす条件である。他の国に入って行って、英語や自国語が通じないといって文句を言うことはできない。

事情はアジアでも同じはずだ。ヨーロッパよりももっと多様な文化を持つアジアで、ひと足早く経済発展をとげたからといって日本語を押し付けるのはよくない。国際語となっている英語だけでなく、アジアの相手国の言語にも敬意を払うことが必要であろう。

英語さえしゃべれれば国際的という時代ではなくなる。私は日本の若者が、英語のほかに少なくとももう一カ国の外国語を理解できるようにすべきだと思う。言うまでもなくアジアの言葉も含めてのことだ。それが、日本が本当の意味での国際化を達成する最短の道であると思う。

水溜《た》まりが消えた

古い写真の整理をしていたら、私の長男が二〜三歳のころのスナップが出てきた。家の近くの空き地の水溜まりで泥んこになって遊んでいる。洋服は泥だらけ、口の周りにも泥がこびりついている。泥水に尻《しり》もちついて、水しぶきを上げているのもある。いまから三十年近くも前のことだ。

当時私は、千葉市に住んでいた。市街地の真ん中だったが、近くには水溜まりのある空き地があって、子供らはそこで泥だらけになって遊んでいた。

最近行ってみたけれど、人家が密集して空き地はコンクリートの駐車場に変わっていた。泥の水溜まりなどもうない。近くにあった幼稚園の庭もコンクリートで固められていた。

たった三十年で水溜まりが消えた。子供たちは掃き清められたコンクリートの庭で遊ぶ。泥んこで遊ぶ場所は無くなってしまった。

だから、青っ洟《ぱな》などたらしている子供はいなくなった。子供の環境が急速に無菌化したのだ。便所はウオッシュレットになったし、いたるところで抗菌グッズが使われている。ちょっと風邪をひいたくらいで、抗生物質を飲まされる。

環境がきれいになったことは歓迎すべきことに違いない。でもこれが、たかだか三十年ほどの間に急速に進んだのだ。何万年もの人類の歴史からみれば、三十年などは一瞬にすぎない。その一瞬で子供を取りまく微生物の世界が一変したのである。人間の免疫系は、周囲にいる病原菌に対抗するために何万年もかかって進化してきた。その相手にしてきた敵が、突然周囲から消え失《う》せてしまったのである。

当面の敵を見失った免疫系が、もともとは無視してきた花粉や室内の塵《ちり》などに対して強力に抵抗するようになった。それが、近年アレルギーが増えた理由だと私は思う。

ではどうしたらいいか。環境を汚くしろなどと乱暴なことを言うつもりはない。でもアレルギーが増加した背景には、人間が急激に、しかも極端なやり方で変えた周囲の環境があることだけは、思い出しておいた方がよい。

子供が危ない——日本が危ない

小児科学の権威I先生と食事をしていたとき、気になることを聞いた。I先生は、ある私立大学医学部の教授で、付属病院の小児科長でもある。彼の話では、東京都内の大きな公立病院から小児科という診療科が消えたというのだ。最近、小児科を廃止したり縮小したのは、この病院だけではないらしい。

「どうして」と訊《き》いたら、採算が合わないからだという。なぜ採算が合わないのだろうか。

子供の病気は大人と同じだけある。内科はそれぞれの専門に細分化されたが、小児科は一つ。一人の小児科医が対応しなければならない病気が山のごとくにあるのだ。子供の病気は時を選ばない。勝負も一瞬のうちにつく。だから担当医は、いっときも休むことができない。いま夜間の救急医療で運ばれてくる患者の、六十%以上が子供だという。

それなのに、救急病院では小児科の当直が少ない。多くは内科医がそれを診ている。小児の病気の治療は内科の半額ですむわけではない。でも、給料が安い研修医などに当直をまかせている病院が多い。

　小児科医の志望者も少なくなった。なぜなら仕事がキツく、責任は重い。それなのに報われるところが少ない。基準で定められた人数では、病院の小児科の医師も看護婦も過労に陥る。それでいて、検査や投薬が限られる小児科は、現在の医療保険制度では手間の割に報酬が少ない。病院の中での地位が低くなり、ついには廃止の憂《う》き目《め》をみるというのだ。

　これはゆゆしき事態である。日本の子供たちが危ない。と私が言ったら、I教授は目をむいて言った。

「子供たちが危ないだけではなくて、日本が危ないのですよ」

　本当にそうである。子供の健康や危機管理に力を入れないような国は、将来が危うい。採算が取れないからと小児科や小児の救急医療をないがしろにする病院や医療制度を、放置しているような国に未来はないだろう。

雪と道

　イラン映画の巨匠アッバス・キアロスタミ監督の写真展が東京で開かれた。私は彼の映画「友だちのうちはどこ?」以来の大ファンなので、オープニングに出席した。

この映画は、宿題のノートを手渡すためにクルド人の村に友だちの家を捜しに行く少年の物語である。行ったこともない異民族の村への細い道、坂だらけの迷路、何度も道を尋ねながら行くが、途中でわけのわからないことを言うじいさんに出会ったりして、なかなか辿《たど》り着けない。でもこのノートを渡さなければ、友だちは退校になるかもしれない。そんな心細さと不安に満ちた道のりである。

キアロスタミ監督は、少年の恐れと希望を、曲がりくねった道を通して描き、心臓の鼓動までを映像化することに成功した。この映画は、ファジル国際映画祭で最優秀監督賞をとった。

キアロスタミ監督はまた、並々ならぬ写真の名手でもある。一昨年、映画「風が吹くままに」の公開に先だって来日された時、彼の写真の展覧会があった。

映画作品と同様、繊細な感性で撮影されたイランの田園風景が感動的だった。中でも、丘の斜面をジグザグに上ってゆく細道や、車の轍《わだち》が生々しい道路などが目をひいた。あの子供が小走りに上って行ったような村の道もあった。

今回の東京で開かれた写真展では、雪の風景が多かった。雪の中から枝を出している木々。繊細な無数の枝々が、風に震えていた。道端に植えられた木々の写真だった。

「この前の写真展の主題は道でしたが、今回は雪で覆《おお》われていますね」と私が尋ねると、監督は静かな眼をしばたたかせて答えた。

「ええ、私は道が好きなのです。これからも道を撮ってゆきたいと思っています。今回は雪で覆われています。冬ですから。でも、もうすぐ春になります。そうすると道がまた見えてくるでしょう」

キアロスタミ監督の優しい心が伝わってきた。世界にはまだ雪に覆われて、道が見えていない国々がある。でもそのうちに——。

日本人とコイアイの間

「コイアイ」って、いったい何。そう思われるに違いない。

日本人の「間」の感覚を理解するために、いささか専門的な「コイアイ」のことに、ちょっと触れておかなければならない。お能の音楽では非常にポピュラーな、「コイアイ」という「間」。その感覚は、日本人、そして日本文化に固有の「間」を理解する重要なヒントになるのだから。

能楽堂に行って聞くともなしに能の囃子《はやし》を聞いていると、段々眠くなってくる。それは心地よいノンレム睡眠である。脳にはゆったりとしたα波が生じている。時々薄目を開けて舞台を見ると、さっきと同じところにシテが座っている。また目を閉じてしばらくすれば能は終っている。これがお能の鑑賞である。

脳にα波を励起し、心地よい眠りに誘うのは、能の音楽に含まれている「コイアイ」の間である。この魔法のような間について、まず眺めておこう。

お能の音楽は基本的に八拍子である。お経のように聞こえても、一拍から八拍までが演者の心の中に刻まれている。拍と拍の間の伸縮はあるが、打楽器はこの八拍子をいつも刻んでいるのだ。それぞれの楽器がどの拍で何を打つかというその譜を、「手」とか「手組」とか呼んでいる。

その最も単純な手が「コイアイ」である。大鼓《おおつづみ》が八拍目を小さく打って、それから長いヤアー、ハアという掛け声を掛け、三拍目をチョンと強く打つ。小鼓がそれを聞いてヤアの掛け声で五拍目をポンと打ち、ついで間をおいて七拍八拍を打つ。これだけのひどく単純な手組である。能の中では数限りなく出てくる。大鼓にも同じ名の手があるが、ここでは深入りしない。

なぜ「コイアイ」が、そんなに重要な意味を持つのか。それは大鼓が打つ三拍が、音を消去した長い間をおいて打たれるため、打ち手によって少しずつ違うことから始まる。その音のない間を聞いて、小鼓が打つ三つの音の位置を、これも自らの体内の感覚で設定するのだ。だから二人の演者が「コイアイ」を打つ時は、二人の間に、「間」の強い緊張関係が生まれる。

「コイアイ」という言葉の起源は定かではないが、「乞イ合イ」であろうと言われている。つまり複数の演者が、音を要請し合いながら作り出す間が、「コイアイ」の間なのである。

同じ「コイアイ」の手を打つとしても、その間は曲によって異なる。神の現われる能の「コイアイ」は、荘厳《そうごん》に長い間を持って打たれるが、鬼の能では短く急調な間が作り出される。美しい女の能では、「コイアイ」の間はゆったりと柔らかなものになる。一曲の中でも、場面や謡《うたい》の内容によって、「コイアイ」の間は微妙に伸び縮みする。それが私たちの脳にα波を作り出す「ゆらぎ」のもとなのである。

「コイアイ」の間は、演者によって少しずつ違う。囃子方一人ひとりが、違う「コイアイ」の間を持っているのだ。するとこの間は、個人の所有物であると同時に、別の間を持つ他の演者との交流の手段となる。お互いに相手の間を計りあって、「乞イ合イ」ながら自分の間を打つのだ。その時、相手の間に合わせて打ったのでは駄目で、お互いに自分の間で打ち合うことによって、能の囃子は緊張感を持ち、刺激的、立体的なものになるのだ。

これが「コイアイ」の間の、私なりの説明である。これを知った上で、日本人の「間」について少し考えてみよう。

「コイアイ」の間は、きわめて相対的な、あいまいなもののようにみえるが、実際には百分の一秒たりとも動かせない絶対的なものとして教えこまれる。何しろ能の囃子方は、この間を絶対的なものにするために、幼少のころから徹底的に訓練されるのだから。それによって、「間」は演者の肉体的なものになり、きわめて個人的な所有物になるのだ。異なる間を持った楽師たちが、妥協せずぶつかり合うことによって、能は逆に独特の一体感を達成する。「コイアイ」の間の原理が、それを可能にしたのである。

しかし、能が作り出したこの「間」の感覚は、能という音楽劇に止《とど》まらず、日本文化のさまざまな部分に浸透している。茶、庭、水墨画などの「間」は、「コイアイ」の間と同質のものだと私は思う。八拍から三拍まで、音を取り去って作り出した長い間、それを聞くことによって成立した小鼓の三つの音の配置、その緊張関係が、日本人独自の時空の発見につながったのではないだろうか。

「コイアイ」の間は、やがて日本人の日常生活の中に侵入し、独自の生活軌範になった。お互いの「間」を計りあって、それを微調整することによって孤立化を避け、上下左右の流動的関係を作り出す日本人の知恵は、「コイアイ」の間に同源を持つ。

しかし、「世間」や「仲間」など、間を持つ集団に安住することで、孤独や断絶を避けてきた日本人は、ここでもう一度、「コイアイ」の間の原点に立ち返る必要があるのではないだろうか。「コイアイ」の間は、あいまいで相対的なものではなく、一人ひとりにとって動かすことのできない、個別的絶対的なものであった。日本人が個を確立してゆくためには、このギリギリの間の関係を取り戻す必要がある。個の持つ「間」のぶつかり合いを恐れて、自分の「間」をあいまいにしてしまうと、「乞イ合イ」の間でなく「慣れ合い」の間になってしまう。

頬を撫《な》でる風――二十一世紀の元旦に

何事かが終った日の翌朝、ふしぎな風が頬を撫でてゆくことがある。それはとてもふしぎな、心をそよがせる風である。

卒業式や結婚式の翌朝、ときには長い療養の末に家族の一人が亡《な》くなって、その弔いをすませた翌日など、何事かが終って何事かが始まろうとする時吹いてくる風である。誰でも人生のなかで何度か経験するに違いない。

たとえば私の場合、数年前定年で大学教授を辞めた時のことである。私は三十年余りも大学の先生をやってきた。教授が定年で辞める前には、「最終講義」というのをすることになっている。そのあとお別れのパーティーがある。

長年の間、日常茶飯事のように学生に講義をしてきたが、それも今日限り。文字通り最後の講義である。半生かかって研究し考えてきたことを、一時間半にまとめて講義する。嬉《うれ》しいような、悲しいような講義である。

その日は、わざわざ外国からも親しい研究仲間が集まってくれた。講堂は学生たちのほかに友人なども加わって満席となった。人いきれの中に、若い学生たちのちょっといぶけき匂《にお》いが混じっていた。こんな匂いの中で講義するのも今日が最後だ。

必死で続けてきた研究の総まとめの講義をしているうちに、その時々に手伝ってくれた学生や共同研究者の顔が眼に浮かんだ。自分はこの研究のために半生を費やしてきたのだ。

講義を終えて、女子学生から花束を受け取り、拍手に包まれた講義室を後にした時、私はこれでひとつの時が終ったことを実感した。住み慣れた教授室に戻って、私は三十年かけて、うずたかく雑然と積まれた本や書類を見廻した。

パーティーなどすべての行事が終った夜は、疲れ果ててベッドに倒れ込んだが、翌朝は清々《すがすが》しい気分で目覚めた。ベランダの椅子《いす》に座って、遅い朝の紅茶をすすった。その時である。ふしぎな風が頬を撫でていったのは。

何事かが昨日で終った。一夜過ぎただけなのに、それが昔のことのように思われる。ある時は楽しかったが、ある時は本当に苦しかった。でも何とか無事に過ぎた。成功とはいえないけれども、敗北でもなかった。それにいく度となく、人の情けに触れることができた。かけがえのない思い出が残された。その日々が、昨日明らかに終ったのだ。別に風が吹いているわけではないのに、私の頬をそっと撫でてゆくものがあった。

それが、「初めての朝」の風である。別に心地よい風というわけではない。嚙《か》みしめると苦い味もあるし、ちくりとする悔恨も含まれている。でも、この風のために私は努力してきたのだと思う。

誰でもそういう経験があるに違いない。結婚式の翌朝、新婚旅行のホテルの窓から吹いてくる風。卒業式の翌日、もう遅刻を恐れることなく起き出した朝、自分が全く違う人間になっていることを発見して胸いっぱい吸い込もうとする風。重い責任を負わされた仕事が完成して、その役を解かれた翌朝、妻が入れてくれたお茶を黙ってゆっくりとする時、心を澄ますと風が頬を撫でてゆくのを感じる。

それは手放しの幸福感などではない。酸《す》っぱい悲しみや、悔恨の苦さなどが、明日への恐れや不安と激しく混じり合って化学反応を起こしているからこそ、頬を過ぎる風は、ふしぎなおののきを与えるのである。

あの風は一体何ものなのだろうか。大いなるものはもう終ったが、まだ次の章は始まっていない。脳の中で、過去と未来の大きなうねりのようなものがぶつかり合って、脳は震えるように何かを分泌《ぶんぴつ》する。それが気圧のような勾配《こうばい》を作り出して風を起こしているに違いない。

二十世紀が終って二十一世紀に入ったという今朝、私たちの頬をどんな風が吹き過ぎていることだろうか。二十世紀はまだ、機械の記憶装置に仕舞い込まれたわけではないが、二十一世紀のファイルもまだ開かれてはいない。今朝は心を澄まして風の音を聞く朝である。

昨日までの世紀を、私たちは必死になって生き延びてきた。物凄《ものすご》く密度の濃い時代を駆け抜けてきたものだ。ずいぶん馬鹿《ばか》なこともしたが、途方もない達成もした。三十五億年かかって私たちの中に書き込まれたＤＮＡの文書も概要が解読された。

でも爽《さわ》やかな風の中に、ひそかな苦い声も混じっている。昨日までの百年で、私たちは地球をとうとう危険な星に変えてしまった。戦争だって、「茶色い戦争」から、膨張する巨大エネルギーの無色の戦争に変えてしまった。これから私たちはどこへ行くつもりなのか。頰を撫でる風が、一瞬ひいやりとする。

「偉大なる二十世紀」が終った翌朝、それぞれの頰にはふしぎな風が吹いている。子供たちの頰の産毛《うぶげ》に、若者のつややかな肌に、皺《しわ》の刻まれた老人の耳もとに、わずかな戦慄《せんりつ》を伴った風が吹いている。

死相

私は死相というものを見たことがある。

ひとつは四十五歳で死んだ私の親友である。突然口のなかに癌《がん》を発病して、苦しみながら死んだ。築地《つきじ》の国立がんセンターに入院していたが、だんだん衰弱していった。私はどんなに忙しくても、また雨の日も風の日も、半年の間夕方になると彼を見舞った。命の火は燃えつきようとして燃えつきず、日毎《ひごと》に苦しみは増すばかりだった。私は毎日苦しみに付き合った訳だ。

ある夕暮、彼はちんぷんかんぷんなことを言い出した。頭のいい天才肌の男だったが、突然皿の林が見えると言い出したのだ。皿の林ってなんだ、と聞こうとして私は心の中であっと叫んだ。彼の顔は昨日までの顔と違っていた。それは能面の中将のような憂愁を帯びた不思議な顔で、鬼気迫るものがあった。

友人は、時を経ずして死んだ。私は、あれが死相というものかと納得した。癌は脳に転移していた。その脳が、歌にあるように皿の林に落ちる夕日を見たのではないかと私は想像した。

もうひとつは私の母が死んだときのことだ。私の母も、再発を繰り返した末期の大腸癌の苦痛に耐えていた。ほとんど昏睡《こんすい》状態になっても、目覚めれば私たちには笑顔で接していたが、ある日それが変わった。何がと聞かれてもわからない。突然何ものかが変容した。私はあっと思った。そこには何年も前に、深い哀惜とともに見送った友人の顔に見た同じ憂愁を帯びた死相が現われていた。私は母に、その日ひそかに別れを告げた。

昨年の五月、私は突然脳梗塞《のうこうそく》に襲われた。死線を彷徨《さまよ》い、この世に戻ってきた。右の片麻痺《まひ》がひどく右半身の自由を失い、重度の構語障害で声を失って。そのほか高度の嚥下《えんげ》障害でいつも嚥下性肺炎の危険に曝《さら》されていた。これではとても生きてゆけまいと思われた。言葉がしゃべれず、利《き》き腕である右手でものが書けない。一時は絶望して死を考えたときもあった。毎日死とともに暮らしたといっても過言ではない。今も事情は変わらない。

でも鏡を見ると、あの懐《なつ》かしい死相は現われていない。麻痺し痩《や》せ衰えた私の顔は、どう見ても死相とは見えない。まだ生命に満ち溢《あふ》れている。だから死ぬわけにはいかないし、たぶん死なないだろう。

第三章　青春の文学者たち

ぼくらの「アンクル」小林秀雄

ご多分に洩《も》れず、危ういセヴンティーンという年齢を通り越すと、今度は揺れ動く振り子のような自分を御さなければならなくなる。私はもともと理系の大学に進んで、将来は医者になることが運命づけられていたのだが、振り子のもうひとつの端に文学などというものがぶら下がっていたおかげで、揺れ方はひどく不規則だった。

医学部に入っても、詩の同人雑誌を主宰したりして、詩や批評のたぐいを書いていた。しかし同じ雑誌には、まだ本名の江頭淳夫で、夕暮れのように老成した小説や批評を書いていた江藤淳がいたり、安藤元雄のような天性の詩人が、白いチーズのかたまりのような存在感のある詩を書いていたのだから、私のような田舎出のえせ文学少年がどんなに背伸びしても、相手にされなかったのは当然である。

でも私には、心の拠《よ》り所《どころ》にしている人がいた。小林秀雄だった。むろん会ったこともないし、血のつながりもない。それなのに、遠い町に住んでいる年の離れた「アンクル」のように、はるかに尊敬し頼りにしていた。

戦後の、定点というもののない不確実な世界で、一人で観測を始めようとした時、小林秀雄はひとつの安心できる拠点だった。何となく「ぼくのアンクル」のつもりで、いつも彼の書いたものを読んで心の支えにしていた。この人に頼っていれば何とかなる。そう思い込んで、小林の崇拝者になってしまったのである。私と同じような読み方をした人たちもきっと多いに違いない。

戦後の若者にとって、マルキシズムと共産主義は避けて通ることができない関所だった。そしてマルキシズムを根拠にしていさえすれば、大手を振って大学構内を歩けるという風潮があった。そうでないとしたら、何を拠り所にできただろうか。

マルクス主義には本能的についてゆけない、かといって一人では歩けない青年にとって、小林秀雄は一種、お守りのような存在だった。マルキシストを自称する友人からひどい罵声《ばせい》を浴びせられた夜、涙をこらえて小林の本を読んだこともあった。そんな時には、小林という凄《すご》いアンクルは、なぜか心を慰める存在になった。何しろ小林の処女評論「様々なる意匠」は、雑誌「改造」の懸賞論文で二位に入選し、一位はのちに共産党委員長になった宮本顕治のものだった。だからアンクル小林は、共産主義の魔除《まよ》けになると思った。

どうやってこのアンクルを知るようになったのか、はっきりとは思い出せない。しかし、昭和二十年代に青春を過ごした者だったら、必ず機会はあったに違いない。そして必ずかぶれたに違いない。

私の場合、恐らくは富永太郎を通してだったと思う。ひそかに詩のごときものを書いていたころ、私は富永太郎に溺《おぼ》れていた。何分にもわずかな数の彼の詩だから、全部暗記していた。私は残念ながら体は強健だったが、酔って吐き捨てる語調にまで富永くささが匂《にお》った鼻持ちならぬ少年だった。富永の短い一生を彩《いろど》った、小林との交流に無関心であった筈《はず》はない。そして富永の死のずっとあと、戦後になって小林が書いた「モオツァルト」の末尾の部分に、夭折《ようせつ》した富永を悼《いた》んだのと同じ鎮魂の響きを発見して私は身ぶるいした。富永が、文学少年にとって永遠に死んだ兄貴だったら、そのとき小林は、ずっと年上の現存するアンクルだった。

当時すでに神様のようだった小林を、会ったこともない「アンクル」に擬しておくことで、私はかろうじて自分らしさを保っていた。彼の富永や中原中也との交流を、まるでそばにいたかのように読み知っていたから、小林秀雄は私自身の無頼の、保証人のような役も果たしていた。泥酔して帰っても、机の片隅には、何も飾りのついていない白いケースに入った小林の全集があった。

でもあのアンクルの、どこが偉かったのだろうか。

戦後の青年にとって小林が拠り所となった第一の理由は、彼が保証してくれた「日本」と「日本人」だったのではないかと思う。

戦争で全く失墜してしまった日本を保証してくれるものなど全くなかった。でも、すでに戦争中に書かれていた「無常という事」を含む、いくつかの日本と日本文化に関する著作は、戦後の自己喪失した青年にとって、この国にも、変化を許さぬ「定点」とでもいうべきものがあることを教えてくれたと思う。いかなるイデオロギーによる揺れにも対抗できる、静かな可能性のようなものを示していたのだ。

小林はもともと西欧文明に身をおき、西欧の批評精神を貫きながら、このいくつかの著作で、日本を西洋と等しい異文化として眺めた。そこに現われた美の系列を、ひとつの価値の基準として発見してくれたアンクルが、頼りにならなかった筈はない。私は、小林の本を読み漁《あさ》って、不消化ながら生きてゆく糧《かて》とした。

私ごとき青二才は、モーツァルトを小林の耳を通して聴き、あっこれが tristesse allante かなどと頷《うなず》きながら過ごしたものである。一方では、小林が「当麻《たいま》」という小品で描いた梅若万三郎に巡り合おうと、焼け残った能舞台に足繁く通った。すでに代が替わっていたが、二世梅若万三郎の能に、小林の筆致の面影を見ようと、追っかけのようなことをした。

しかしモーツァルトが、小林の「モオツァルト」よりはるかに抽象的で難解なものであることに気付いたのは、はるかにあとのことだった。能の鑑賞も、小林の「去年《こぞ》の雪」あたりに落ち込んでしまってはいけないことを悟ったのは、もうアンクルがこの世を去ってしまったあとのことだった。

小林の「骨董《こっとう》」という作品を読んで、そこに書かれたと同じ李朝《りちょう》の壺《つぼ》をさがして骨董屋を歩いたことがあった。貧乏学生の手に入るような代物《しろもの》ではなかったが、私は友人と金を出し合って李朝の八角面取りの鉢を買った。いまは人手に渡ったが、この話を晩年の白洲正子さんにしたところ、からからと打ち笑って、「病気に罹《かか》らなくてよかったわね」と諭された。小林の骨董の病気はよほど重かったらしく、白洲さんさえ怖くなったと言っておられた。

そんな追っかけじみたことをしている間に、私はだんだんとアンクルと距離をおくことができるようになった。もうアンクルに相談なしで、歩く分別が生まれたのだ。青年前期を通り越した私には現実の生活が待っていた。死体解剖室でのメスの扱いも上手になり、「去年の雪」もそれで断ち切ったと思う。

はるか隔てて眺めてみると、やはりあの死んだアンクルは偉大だったとつくづく思う。あのとき、遠巻きながら付き合って貰《もら》ってよかったと思う。あらゆる観念というものを捨て去ってしまって、随分命がけでものを書いていたのだろうと痛ましくなる。何しろ骨董では、瀕死《ひんし》の重病にさえなって、日本人の遺伝子が作り出した美を見つけ出してくれたのだから。『美しい「花」がある、「花」の美しさという様なものはない』という言葉が、いまになってぐさりと来る。

中原中也の不在証明

中原中也風の嘆き節で言えば、私は中也が好きだった。ひところだけのことだったが、どうしようもないほど好きだった。だけど何故《なにゆえ》かと聞かれても、答えられぬほど好きだった、ということになる。本当は私ははじめ富永太郎の詩に夢中になって、富永の実生活を知るために小林秀雄を読み、やがて中原の詩を読むようになったのだが、いつの間にかミイラとりがミイラになったのだ。

理系の学生だったにもかかわらず、私は昼も夜も中原の詩を読み、ときに耽溺《たんでき》した。物を書こうとすると中也ばりの節のついた口調が出てきた。あれは何故だったのだろうか。

富永太郎にあてた小林秀雄の手紙に「中原に淫《いん》して……」という言葉があったのを

思い出すが、私も中原に淫していた。あとで考えると、まるでセックスのあとを思い出すように気恥ずかしい喪失感だけが残るが、それも「中原に淫して」いたためなのだろう。

はるか五十年に近い歳月を隔てて中也の詩を読み返しても、私にはあの中原病から治ったときの気恥ずかしい喪失感がよみがえってくる。理性的に考えて、あれは一体何だったのか、そして何故だったのか。

いまにして思えば、私が愛した中也は、現実には存在しなかったのではないかという気がしてくる。中原の詩にある、いわば不在感のようなものを身に引き付けて、抱きしめていただけなのではないかと思われてくる。存在感ではなくて不在感。実在感ではなくて虚在感、それを膨らませて遊んでいたのではないか。

たとえば『在りし日の歌』に収められた「朝鮮女」という詩は、

　朝鮮女の服の紐《ひも》
　秋の風にや縒《よ》れたらん。

で始まる。これは能の謡曲の冒頭で、登場人物が謡《うた》う「次第」という詞句に似ている。

能「安宅《あたか》」では、次のような「次第」の句が謡われる。

　旅の衣は篠懸《すずかけ》の

露けき袖《そで》やしをるらん。

兄頼朝《よりとも》の追手を逃れた義経《よしつね》主従一行が、山伏姿に身をやつして加賀の国安宅の関にたどり着く。これから起こる壮大なドラマを暗示する象徴的な導入部である。この「次第」の句のあとで、義経主従のしおたれた旅姿が叙述される。

中原も、この導入部のあとで、街道を行く朝鮮女と手を引かれた子供の点景をあざやかに描き出し、ドラマの背景を設定する。しかしそこには、ぼんやり立ってそれを眺めている存在感のない男の影があるばかりで、現実のドラマは起こらない。

　われを打見ていぶかりて

　　子供うながし去りゆけり……

そこで情景さえも終ってしまう。中原の真骨頂は、このあとの五行に現われる。

　　軽く立ちたる埃《ほこり》かも
　　何をかわれに思へとや
　　軽く立ちたる埃かも
　　何をかわれに思へとや……
　・・・・・・・・・

ことに最終行の・・・・・・・・・にこそ、中也の詩の本質が現われているように思われてならない。

そこには朝鮮女も、そして中原自身もいなくなった「不在」がある。この「不在」によって証明された何ものかがたち現われるのだ。

中原が書こうとしたのは、物の不在、人間の不在、わが子の不在、女の不在だった。不在を証明することで、何かがぼんやりと現われてくる。

いまそう思って読むと、中原の多くの詩が不在証明のような詩であることに気づくのである。「在りし日の歌」という詩集の題名からしてそうではないか。

では不在証明で、中原は何の存在を証明しようとしたのだろうか。中原はこの世の不在証明をつきつけることによって、いなくなった女も、死児文也も、ひとつの時代も、詩も、そして自分も、別の虚の空間に行ってそこにいることを証明しようとしたのだ。それがどこなのかが、中原論の対象であろう。

実在の中也を身近において「淫して」いてはわからなかった中也の実在が、五十年の歳月を経て、初めてかすかに立ち上ってくるような気がしている。

やさしさの哲学

中村雄二郎さんに初めてお目にかかったのは、ある雑誌が企画した対談の席だった。主題は、そのころ私が出した『免疫の意味論』をめぐってである。中村さんは、前もってゲラ刷りに付箋《ふせん》をつけながら、ていねいに眼を通された上で対談に臨まれた。話が進むにつれて現代生命科学についても並々ならぬ見識を示され、私が自分で気付かなかったような問題点まで指摘して下さった。

そのとき私が強く印象づけられたのは、中村さんの途方もない「優しさ」であった。私は当日、約束の時間に少々遅れて行ったのだが、あわただしく駆けつけた私をなじるどころか、優しくねぎらうところから話が始まった。当時私は、大学を定年退官するころだったので、多くの悩みを抱えていた。やりかけの仕事が中断してしまう。結論の出ない問題が残ったままだ。実験室から離れたところで、どうやって物を考えることができるのか。それに、こういうときは自分だけではなく何人もの共同研究者の身の振り方をつけなくてはならない。時には不満が噴き出して、それが私に重くのしかかっていた。抵抗力のない私は、そんな個人的な悩みまで抱えて対談に出席した。

別に相談したわけではないのに、中村さんは速記録に入らない対話で、何とはなしに私の個人的な悩みを慰めるような言葉を発した。まるで見透かしたように、私にとって指針になるようなことまで言われた。どうしてわかったのだろうか。

ただそれだけのことだったが、その後中村さんの本を読むたびに、私はそこに哲学の持っている「優しさ」というものが随所に現われていることに気付いた。中村さんの本には哲学が本来持っていたはずのディオゲネスの「優しさ」が隠されていたのだ。

私が行っていた理系の大学の大学院生に中村さんの本を読ませたことがある。一人の学生が、「どうしてこんなことまで考えなければならないのですか」とふしぎそうに聞いた。実験の結果が、すぐに役に立つような研究をしている理系の学生である。役にも立たない哲学の議論など読んだことさえなかった。そんな時間があったら、すぐ役に立つ実験のマニュアルでも読んだ方がいい。そう思っていた。

私はその学生と、「知」というものの価値についてかなり長い時間話したのだが、本当にわからせることができたかどうか自信がない。でもそのとき思ったのだが、多くの人間にとってすぐさま役に立つことのない問題を、これほどまでに厳しく考えてやるということこそが、もともと哲学に期待されていた役割だったのではないのか。だとすれば哲学というのは人間の「優しさ」の産物だったはずだ、ということである。別に人に頼まれたわけでもない。損得などもない。その営みにあるのは必ずしも喜びばかりではあるまい。でも、この「優しさ」こそ、最終的には人間を救うものなのかもしれないと。私はこの学生の考えるたしになるかと思い、中村さんが書いた岩波新書の『術語集』をプレゼントした。この書も、考える若者に対する中村さんの「優しさ」の産物である。

もしも哲学の根底に「優しさ」があるのだとしたら、哲学の対象は普遍的な問題だけに止《とど》まるまい。「優しさ」の相手はまず個々の人間であり、その情念である。痛みや本能的な欲望を持ち、癒《いや》しとカタルシスを求める隣人たちである。それらを「劇」として昇華させることも、「悪と罪」に委《ゆだ》ねることもできるはずである。そこまで立ち入って、哲学は現代人に意味のある営みになるのであろう。

中村さんの著作をひもとくと、その「優しさ」が、対象を求めてさまざまな光の当たらぬ場に降り立って、対象を引っ摑《つか》んで翔《と》び立っていることがわかる。その行動力といささかの押し付けがましさは、従来の哲学者とは少し違う。

思えば「臨床の知」というのも、人間の個別性を対象とする「優しさ」に基づいた「知」である。現代の臨床医学が、患者の個別性を見ることをすっかり忘れて（何しろ患者さんを取り違えて手術してしまうくらいなのだから）、コンピューターに現われた数値だけを相手にするようになってしまったとき、中村さんのいう「臨床の知」には、現場の医師たちも耳を傾けなければならない重さがあると思う。

少年たちの犯罪がいま多発している。このとき彼らの心の奥底に立ち入って介入できる「知」は、中村さんの「優しさ」に基づいた「知」ではないかとふと思う。社会学者も心理学者も教育者も、この問題に対する発言に、本当の「優しさ」がない。十七歳という年齢で括《くく》って一般化するのも、彼らを包んでいるパソコン社会に要因を押し付けるのも、また少年一人ひとりの家庭の環境を分析してみるのでも、少年たちの臨床的な心の傷の原因には達することはできまい。

少年たちの「存在」そのものに本当に踏み込むことができる「優しさ」の哲学がまず必要なのである。そういう意味で、最近の中村さんと川手《かわて》鷹彦《たかひこ》氏の対談（『心の傷を担《にな》う子どもたち　次代への治療教育と藝術論』平成十二年、誠信書房刊）は、これまでにない切り口を作っている。

中村さんの「優しさ」は、同じ文脈でオウム真理教の犯罪の奥底にまで降りてゆく。現代日本の、しかもこれほどまでに情報化された大都会の真ん中で起きた悪の発露、殺人さえ許してしまう悪の意志。その哲学的根拠を見つめなければ、オウムの問題は終らない。犯罪者を処刑しただけで済むわけのものではないのだ。

悪が「構成しない」ことを認めた上で、そこから逃れることのできない本性を凝視した中村さんの「悪の哲学」は、人間の苦しみへの「優しい」眼差《まなざ》しの産物である。この眼でオウムの「悪」の哲学的意味を解かない限り、この事件を通過したことにはならない。

中村さんとは、時折能楽堂で一緒になる。中村さんが会長をしている「橋の会」が、長い間廃曲となっていた問題の能「重衡《しげひら》」を復曲し、それが最近再演された。この能では、奈良のすべての仏堂伽藍《がらん》を焼塵《しょうじん》に帰した南都焼き打ちを命じた極悪人平重衡の霊が、奈良坂に現われる。春日野《かすがの》の野守の飛び火に、かつての罪業《ざいごう》をフラッシュバックして苦しむこの「重衡」の能を「橋の会」が復曲したのも、日本文化における「悪と罪」の根源を見据え、この曲に演劇の知を投影した中村さんの意図が反映されているのかと思った。

夢の正体——写真家ラグー・ライのインド

インドに行く度に驚かされるのは、この国の持つ途方もない多様さである。文化的にも、風俗的にも、地理的にも、言語的にも、そして社会を構成する階層においても、幾重にも積み重ねられた複雑な多様性がある。それをさらに、時間の多層性という軸が貫く。二週間前に起こったことと、三千年も前の事件が、ほとんど同時進行したかのように語られる。

それらが、単に混沌《こんとん》の中に拡散して薄められるのではなくて、一つひとつの要素が激しい実在感を持って私たちに迫ってくる。まるでヒンドゥーの寺院の多層階の壁面にびっしりと彫り込まれた何万という彫像のように、どれひとつ同じものがないのに、全体としてひとつのインドとなって押し寄せてくる。この全体性がなければ、単に混沌とした歴史のアーティファクトに過ぎなくなるのだが、インドは五千年の歴史を通して、大過去から小過去へ、そして現在から未来へと、多様なものが輻輳《ふくそう》して流れる巨大な流れとなっているのだ。

インドの町に降り立った私たち旅人は、この流れに一本の藁屑《わらくず》のように投げ込まれる。しばらく身をゆだねていると、水に浮かぶさまざまなものが見えてくる。わき立つ泡やプランクトン、人間の排泄物《はいせつぶつ》やそれを喰らう虫たち。水の向こうに、さまざまな顔つきの人間たちが見えてくる。半裸の男たちや、子供を抱いた母親。牛車に乗った聖者や、道に横たわる死者たち。疲れ果てたリキシャの運転手とサムソナイトの鞄《かばん》を持ったビジネスマン。それらがやがて大いなる行列を作って、彼方《かなた》の寺院や市場の賑《にぎ》わいの渦に巻き込まれて行く。顕微鏡のピントをちょっとずらしただけで、肉眼では見えないミジンコから、広角の望遠鏡でしか見えない巨大な国土に暮らす人々の姿まで、満天の星のように見えてくるはずだ。

インドに行く度に度肝を抜かれるのはこの途方もない多様さである。生者と死者が同居し、聖と俗が交わる町。異なった神々の信者たちが言葉を交わし、木陰では乞食《こじき》と王がチェスをしている。インドは、次元を異にするさまざまなファイルがワープしあうデジタルな魔法の国、地球上にあるもうひとつの小宇宙なのである。

インド亜大陸という広大な大地の上では、一人ひとりの人間の存在はいかにも小さい。しかし十億を超えた人間のそれぞれが、みんな違った夢を見たとしたら、その総和は国の全土を霞《かすみ》のように覆《おお》うだろう。美しい夢も、悲しい夢も、奇妙な混乱した夢も、邪悪な夢もあるに違いない。その夢が集まって、巨大な蜃気楼《しんきろう》のように立ち昇る。写真家ラグー・ライが切り取っているのは、インドを覆うこの夢の正体である。ラグー・ライは、獏《ばく》のようにこの夢を喰らい、それをフィルムの上に固定した。

あまりの混沌のため私たちには見えにくかったインドの夢が、明確な形となって画面に姿を現わす。聖なるものと邪悪なるものが、いま生きている者とかつて生きた者が、同じ夢の画面を歩いてくる。インドの持つ恐るべき多様性が、いかなる摩訶《まか》不思議な奇蹟《きせき》でさえ都市の片隅に現わしてくれる。ラグー・ライの眼は、こうした現代インドの奇蹟を、奇妙なほど静かな眼で見つめ、一枚の写真に切り取る。

五千年の歴史が育《はぐく》んだインドの多様性のファイルには、いまの物質化した人間には想像もつかない不思議な希望が隠されている。仮に二十一世紀の人間に、本当の希望があるとしたら、この混沌とした夢の中にこそあるかもしれない。

この国ではいまでも、グルと呼ばれる聖者が次々に生まれているし、スラムに住む子供たちの眼は、王のような栄光に輝いている。政治家たちは詩を詠《よ》むし、サラリーマンの朝の食卓で神話が語られる。女たちは古代の女神が着たと同じ衣服を身にまとい、各地で神の行進さえ行なわれているではないか。だからこそ、ごく最近でもマハトマ（智恵ある者）と呼ばれた聖者さえ生まれたのである。

貧困や差別など、インドの闇《やみ》は途方もなく深い。つい先ごろのテロによる暗殺も、大勢の死者が出た暴動も、私たちは忘れていない。インドの門をくぐってこの地に降り立った者は、なまやさしい希望を捨てよ。それほど奥深い闇が広がるところでもある。しかし、すぐさま解決できないからこそ、そのために身を捨ててまで働いている人がいるのだ。タゴールだって、ガンジーだって、マザー・テレサだってそうだった。絶望的だからこそ希望が芽生える。暗く抑圧されたところで燃え上がるからこそ、生命の火は強烈に輝く。ラグー・ライの写真の影の深さは、その向こうからくる光の強さにほかならない。

数年前、私がデリーの自宅にラグー・ライを訪ねたのは、静かな二月の夕暮れだった。夕陽が斜めに差し込む中庭に面した部屋に座ったラグー・ライの姿は、ガンダーラの肩幅の広いブッダの像のように、優しさと平穏に満ちていた。彼は、このインドの大地に生きる人びとを、まるで大家族の長兄のような静かな眼で眺め、彼らの夢をフィルムに刻印してきた。彼の写真を見るとき、私たちは画面の上にインドの巨大な夢が広がり、激しい営みの背後に、不思議な安らぎが漂っているのを見るだろう。混乱と悲しみの上に、何ともいえない喜びが立ち昇ってゆくのを目撃するであろう。

韓国と日本の伝統芸能

私が書いた新作能「望恨歌（망한가《マンハンガ》）」は、前の大戦のころ、韓国に対して日本が犯した罪を、一人の韓国の老女の舞（恨《ハン》ノ舞）を通して訴えようとしたものである。幸い一九九三年の橋岡久馬師の初演以来、観世榮夫師の別演出を含めて繰り返し上演され、能が現代において果たし得る一つの可能性を示したものと自負している。

私はこの新作能の取材のため、春浅い韓国の山里を旅したことがあった。そこにはもう日本では見ることの少ない、心に染《し》み入るような農村の風景が広がり、昔ながらの生活や風習を守りながらひっそりと暮らしている人々がいた。私たちはこの隣人たちのことを、どれだけ知っていたのだろうか、そして知ろうとしていたのだろうか、と胸が痛んだ。

私たちの韓国についての知識は、戦争や経済交流などを通した皮相なものに過ぎなかった。伝統文化や芸能、そして人々の暮らしについては、ほとんど関心を払わなかったというのが現実であろう。

私はこの旅を通して、韓国がさまざまな伝統芸能の宝庫であることを知った。雅楽、パンソリ、サムルノリ、タリョン、俚謡《りよう》、仮面劇。言葉がひとこともわからないくせに、パンソリの激した謡《うた》いぶりや、長くのばした哀切な節廻しを聞くと、ひとりでに涙がこぼれた。この歌謡の底に流れる「恨《ハン》」という深い情念のゆらぎは、三番目物の能の「序ノ舞」にも通ずると思った。新作能「望恨歌」で舞われた「恨ノ舞」は、その延長の上で工夫されたものである。

サムルノリの太鼓や鉦《かね》のリズムは、私などでもひとりでに体が動いてくる。「翁《おきな》」や「三番叟《さんばそう》」の鼓《つづみ》の響きにも通じる躍動的なリズムである。私たち二つの国民は、古代からこういうリズムと情感を共有していたのだ。現代でも、二つの国民が同じような節廻しの演歌を愛しているのもその現われである。

日本文化のルーツは、通常中国大陸に求められているが、直接に中国とつながっている部分はむしろ少ない。ほとんどが朝鮮半島を経由したものである。朝鮮民族の感性を通して近づき易《やす》くなったものだけが、日本に受け入れられてきたのだ。たとえば唐招提寺《とうしょうだいじ》の屋根の曲線は、中国の古寺の屋根とは明らかに異なる。韓国の仏国寺や海印寺の屋根のそりに近い。大和の古墳や寺々の佇《たたず》まいは、まるで韓国と地中深く、チューブのようなものでつながっているような感じさえ受ける。陶磁器に至っては、中国とは明らかに異質だけれど、韓国のものとは同じDNAを共有している感覚がある。

私はその旅の終りに、ソウルの国立国学院《クンニプクガウォン》の演奏会に行った。やがて来日した韓国雅楽グループと、日本の雅楽との交流の会では、古代日本が韓国から受け継いだ芸能が、いま二つの国で別々に伝承され、発展していることを実感した。

芸能の交流とひとことで言うが、それは心の奥底で共感するものがなければできることではない。ことに東洋の音楽や舞踊では、互いに同じリズム感と身体の運動感覚を共有していてはじめてできることなのだ。そうでなければ呼吸が合わず、共感することもない。

二つの国が、文化や芸術の交流を通して新しい時代を築こうとしているこのとき、もう一度二つの国の芸能のルーツにあった共通性を確認し、それがどのような異なった流れを作ったかを学ぶのは大切である。同じ原型から別々の姿に進化していった歴史こそが、両国の民族性と伝統を表わしているのだから。二つの伝統が互いに磨き合い、独自の輝きを増すことが期待される。

真贋《しんがん》

数年前のこと、ニューヨーク市に住む大富豪の老嬢が亡《な》くなった。リンカーンセンターに彼女の名前を冠したコンサートホールがある位、音楽を愛し音楽家を支援していた。音楽ばかりではない。美術にも深い鑑賞眼を持ち、セントラルパークの森を見下ろす彼女のアパートには、ギリシャ、中世、ルネサンス、印象派の作品など想像を絶する美術品が、集められていた。

私は、彼女の親友だった大学教授と親しくしていたので、生前に何度か彼女と会う機会があった。コンサートのあと、主演のバイオリニストを招いての晩餐会《ばんさんかい》に加わったこともあった。ベニスのアカデミア橋のそばで偶然出会い、昼食を一緒にしたこともある。大富豪の常として、いつも多くの取り巻きたちに囲まれていたが、ちっとも金持ちくさいところがなく、優雅で控え目な、そしてほんとうにチャーミングな老嬢であった。

コンコルドでパリまでオペラを観《み》に行き、翌日には来米した王族の接待をするというような生活だったから、自分でお金の勘定をするような機会はなかったろう。彼女にはいつも上品なイタリア系の男性秘書が従っていた。ベニスで昼食をご馳走《ちそう》になったときも、彼女は私たちと一緒に店を立ち去り、あとは黒いスーツのこの男性秘書がすべてすませたようだった。彼女は彼を信用してすべてを任せていたが、私はこの秘書について少々芳《かんば》しからぬ噂《うわさ》を聞いたこともあった。

私の彼女との付き合いはそれ以上のものではなかったので、彼女が脳梗塞《のうこうそく》で車椅子《くるまいす》の生活になったと聞いても、そんな苛酷《かこく》な運命もあるのかという程度に思っただけだった。一年余りして、彼女の死が、身寄りのない大富豪の老嬢の孤独な最期《さいご》、と新聞で報じられた。

彼女の死後しばらくしてニューヨークを訪れた私は、友人から次のような話を聞いた。彼女が持っていた膨大な美術品のコレクションの多くはメトロポリタン美術館に寄付されたが、一部は競売に付された。その中にはルネサンスイタリアの名品や、フランス印象派の名画も含まれていた。そして彼女の遺言によって、一部は親しい友人の手に遺贈されたという。

彼女は、長年忠実に仕えたあの男性秘書にも遺品を残した。生前彼女は、彼が希望するもの一つを遺贈すると約束していた。友人の話によると、男性秘書は、彼女のコレクションのうちでもひときわ眼を引いたキュクラデスの石像が欲しいと言った。紀元前二千五百年ごろギリシャのナクソス島を中心に作られた、四角い平面的な顔をした素朴で謎《なぞ》に満ちた石像である。完品はきわめて少なく、あったとしても途方もない高値である。

彼女の死後、キュクラデスの石像は男性秘書のものとなった。彼はきわめて大きな遺産を受け取ったことになる。

話はその後意外な展開を見せた。遺品のオークションに備えるために古美術の鑑定家が訪れて、このキュクラデスの石像も仔細《しさい》に検討された。その結果、彼女の残した美術品はすべて真物《ほんもの》で莫大《ばくだい》な値がついたが、たった一つ、このキュクラデスの石像だけが贋物《にせもの》であることが判《わか》ったのだ。

そのあとのことを私は知らない。古美術品というのが、時にはこういう皮肉な事件を引き起こすことを実感しただけである。誰の眼が誤っていたのか。そして眼を誤らせたものは何だったのか。

ロスアンジェルスの郊外に、やはりアメリカの大富豪ポール・ゲッティの収集品を中心としたゲッティミュージアムがある。莫大な資金力で世界中から買い集めた古今の名品が収蔵されている。この美術館の目玉の一つに、クーロスと呼ばれる青年像がある。古代ギリシャのアルカイック期に作られたという二メートルあまりもある稀少《きしょう》な石像である。写真で見ても、その時期の特徴をすべて備えた完璧《かんぺき》な青年の立像である。

購入当時から真贋《しんがん》論争があったが、私は数年前この美術館を訪れて、一目見るなり贋物だと思った。どこがおかしいのかといわれても説明できないが、どこかしら違うのである。どこか品がないし、かすかにいかがわしい感じがする。私だったら買わないと思った。

それに比べたら、といっても比べようもないのだが、近著『私のガラクタ美術館』(朝日新聞社刊)で紹介した私の収集品などは、そういう心配はない。贋物を作るほどの名品でもないし、作っても金銭的な値打ちはない。みんな安物ばかりだ。

しかしどんな安物であっても、クーロスの石像のような気品のなさ、いかがわしさはない。じっと眺めていると、完璧な名品の姿が二重写しになってくる。ガラクタの断片から完全な美の世界が広がる。それがガラクタの「思想」なのだ。

小林秀雄に「真贋」という文章がある。彼が摑《つか》まされた骨董《こっとう》の真贋をめぐって繰り広げられた身辺の模様を描いたものだが、私にも多少の経験がある。でも私は、こりずに自分の眼を信じ、ガラクタを買い続けている。

白洲さんにとっての近江《おうみ》

地霊とか地魂というものは、地下の奥深くでチューブか根のようなものでつながって、気に入った条件のところで地上に吹き出すらしい。その近くの石や木や水、そして山や里の姿、そこに暮らす人間まで地霊に支配されているので、独特の気を帯びた風土と文化が作り出される。

白洲正子さんは、この地霊の吹き出すところを本能的に嗅《か》ぎ出し、ふしぎなトポスの根源を発見する旅を重ねた。「かくれ里」の旅では、そうした地霊や地魂が地上に吹き出したわずかの痕跡《こんせき》を見つけ出し、その語りかける言葉に耳を傾けると同時に、それが形となった木、石、水、山、そして人間の営みや信仰の形と出合うのである。

その地霊が最も濃密な形で漂っているのが、近江という地方である。白洲さんはまず、そこに「石走る《いわばし》」という近江の枕言葉《まくらことば》そのままに石となって吹き出した日本の地霊を感じ、その根っ子をたぐりながら石を求める旅に出た。そこには、白洲さんが「日本一」の折紙をつけた石塔寺の三重の塔があるが、その根は明らかに朝鮮の慶州《けいしゅう》のあたり、新羅《しらぎ》の古都と海を越えてつながっている。湖西におびただしい数で連なる古墳群も、地底の奥深いチューブで朝鮮半島の古墳とつながっている。両方とも同じ地霊の嘉《よみ》し賜《たも》うた地なのである。

しかし白洲さんは、近江の古代文化が、明らかに朝鮮のものとは違うことも指摘している。地霊はこの近江という地形と自然の中で本当の日本の原形として吹き出し、姿を現わすのである。それを培《つちか》ったものこそ、「風土」という力なのである。

白洲さんは地霊のチューブの吹き出し口をたどって近江いっぱいに点在する古跡を訪ねる。それは古代国家の姿で、そして仏教文化の形で、近江の地に花開いた。しかし、古墳といっても仏教の遺跡といっても、その大もとはこの地に太古から続いていた土地の神、地霊に嘉された自然に対する信仰が形になっただけなのだ。神仏混淆《こんこう》などというが、それはもともと日本民族の信仰の形だったのだ。

白洲さんの近江の旅は、地霊でつながった山々里々を空間的に移動するだけではない。それは古代から中世、そして現在に至るまでの時間の旅でもあった。

「近江山河抄」では、万葉や壬申《じんしん》の乱に象徴される古代世界と、源氏物語や古今集などの王朝の文化、世阿弥《ぜあみ》が謡曲で描いた中世の語り部が持った時間などが自在に交流している。近江は、こうした異次元空間の交叉《こうさ》する地でもあったのだ。逢坂山《おうさかやま》という西と東の出合うところは、また昔と今が、そして陰と陽とが交ざり合い、時空を超えるための関所であった。

白洲さんは、近江という地霊の嘉した国に杖《つえ》をひいて、時間と空間を自由に超えながら、人間というふしぎな存在の奥底へと足を踏み入れてゆく。そこに、白洲さんが過去の日本人と共有した、一種の宇宙観のようなものが現われる。この地に地霊が吐き出した石を工人が細工し、時間という不可抗力が加わって作り出した石の遺跡、それをとりまく自然と人の姿に白洲さんは深い共感を持つ。そして白洲さん自身が近江の地霊の語り部となる。

白洲さんは各地で拾い集めた石をいつも身辺においていた。執筆の時は握ったりこすり合わせたりしながら、各地で出合った地霊の声を聞こうとしていたのではなかったろうか。

解説

加賀乙彦

著者は免疫《めんえき》学者として著名な人であり、他方趣味で能を深くたしなみ、創作能を書いて、その方面でもよく名を知られていた。私も医師でありながら小説を書いてきて、ここ十年ほどはいくつか創作能を始めたところで、多田富雄の、二つの領域にまたがる活躍ぶりに親しみを覚え、またその新作能のたしかな出来ばえに感心し、尊敬の念を覚えていた。で、その創造力ゆたかな人が脳梗塞《のうこうそく》の発作に襲われたと新聞で知って非常に驚き、心配し、また日本の免疫学と創作能の世界での大きな損失だと思った。

多田富雄が病に倒れたときの詳細と、その後の苦闘は第七回小林秀雄賞を受けた『寡黙《かもく》なる巨人』に書かれていて、その復活にいたる道筋に私は目を見張った。これまでの創作能に加えて、詩や評論や随筆の文章が、洗練されて力強くなってきたのに、私は驚きとともに、そこまでに到達する気力の強さに感嘆したものだ。

発作がおきたのは、二〇〇一年五月、金沢においてであった。右半身の麻痺《まひ》とともに声を失い、物を飲み込むことができないので、持続点滴によって栄養を補給した。やっと少しジュースを飲めるようになったのは三ヵ月ほどたったときであった。やがてリハビリによって少し歩けるようになるまでの、不安と絶望と、みずからのそういう負の精神に反発する生命力との闘争は、まさに壮絶ないとなみであった。自分の体が自分の思い通りにうごかない巨人のように思えたと著者は感じている。

ところで、病に侵される前に書いた文章を集めたのが、今度の『生命の木の下で』である。元気であったときは、今や懐《なつ》かしい日々である。その想《おも》いは、現在の多田富雄の想いとは違って、明るい光明に包まれている。人間が動き、旅をし、自由に話すことが、現在の著者には、すばらしい恵みであると想える。私は著者の病後と病前の異なった生活に、精神の橋をかけるような本書の出現に、人間の不思議を見た。健康であることは、普通の人間にとって当たり前の状態であるのだが、重い病気にかかった人から回想すると、奇跡のように思えるようだ。

第一章の「生命の木の下で」は旅行記である。しかし当たり前の旅ではなく、まことに風変わりな目的の旅、冒険旅行なのである。

「ドゴンへの道」というのは、人類が発生したアフリカの奥地に、えらい努力で困難を乗り越えて到達する記録である。その動機は、ニューヨークのメトロポリタン美術館で観《み》た奇妙な両性具有の像であった。これこそ、人類の原形だと感激した著者は、その像を作ったアフリカ奥地のドゴン族に会いにいくのだ。それが人類の原形であるのか、ドゴン族が最初に発生した人類の末裔《まつえい》なのか、という詮索《せんさく》は、したかも知れないが、文献はあげてない。こういうところ、多田富雄は科学者というより詩人である。直観の人である。

マリ共和国の首都バマコに行く。そこでマラリヤ伝染の蚊の研究をしている日系二世の学者に会う。彼の世話で車をやとい、いよいよ奥地に向かうのだが、種々の困難にであう。まずはおんぼろ車とこわい顔の運転手。二日目にひどい道でパンクする。スペアタイヤがあるが、これもすりへったゴムでいつパンクするかわからない。ホテルは満員で泊まれない。仕方なしに木賃宿に泊まるが、門を閉められる直前に飛び込むという曲芸だ。

やっとドゴン族の村に着く。ガイドを紹介されたがスイスに行っていないというので、代りによぼよぼの老人と見える（実は四十代の）別のガイドがつくことになる。彼は背が曲がり手足が細い、ニューヨークの美術館で観た両性具有者そっくりの人物であった。ともかくこの人物に案内されてドゴンの村落を訪れ、ドゴン族の神話と運命の話を聞いて、著者は満足する。人類はここから発生したと納得するのだ。なぜかそう思うのだ。

「メーコック・ファームの昼と夜」は、一転、タイの北端とミャンマー、ラオスに囲まれて麻薬栽培で有名なゴールデン・トライアングルを訪ねる旅の話である。麻薬中毒で村が潰《つぶ》れてしまうのを、麻薬治療で復活させた男が出てくる。彼はいまも麻薬中毒になっている山岳民族の治療を続けている。それを見にいくというのだ。ところでなんのためにそんな所に行くのか。動機は読者には定かではない。その男の人類愛に感激したようでもなく、ただわかるのは多田富雄という人は、見たいという好奇心が強く、そう思い立ったら実行する人だということである。

四輪駆動車に乗ったり船に乗ったりして、ゴールデン・トライアングル地帯に入っていく。メーコック・ファームとは、麻薬中毒になった村人を集めて治療するところである。まず説得して村人をそこに移住させる。禁断症状で苦しむ者を元患者が助けて、麻薬より離脱させる。村人全員を治療するのに八ヵ月もかかる。こうして村が再生するのだ。こういう困難な仕事を少数の人々がやっている。それを見て、多田富雄は感激する。満足する。そこまで見にいく大変な苦労を忘れて、ただ満足するのだ。不思議な人だ。

第二章「日付けのない日記」は、おりおりの感想を書きつけているような文章を集めている。要約はできないから、面白いと思った内容だけを書き留めておく。

日本の正月のようなめでたい時間はどこの国にもない。長寿社会とはそれで企業が儲《もう》ける社会である。少数民族の土地での買い物ではねぎらないといけない。ねぎって売り手がにっこりするのがいい。春の東大構内の美しさ。ステッキをついて散歩すると気持ちがいい。「どうして」ときかれたら「直立二足歩行はどうも無理な歩き方のようですから」と答える。初等教育は「読み書きそろばん」でいい。中等教育は自己を確立させる大切な教育だが日本ではその年齢に受験勉強をさせている。朝八時から夜八時までの能を観る。昔はこれが当たり前であった。ところで能についての文章がよく出てくる。さすがは創作能の大家である。「現代人の私たちが能を観て感動するのは、死者の異次元からの眼でこの世の喜びや悲しみを眺めるという得難い経験ができるからである」なるほどなるほど。能の「コイアイ」についての説明など、私は目を開かされた。実は、伝統能のお囃子《はやし》と西洋音楽とを融合させようとして大変な苦労をした経験が私にあるからだ。ところで多田富雄先生、大酒飲みなのだ。一升は飲むのだそうだ。それが最近は酒量が落ちて、ビール二本、ワインをボトルの半分強だとなげいている。大学が定年で、最終講義をした翌日の朝の風のさわやかさ。これはよく分かる風の効用である。さあ、あとは自分で読んでください。エッセーの名手なのだとだけは保証しておく。

最後の章「青春の文学者たち」で、やっと多田富雄文学の源泉を知った。友人は江藤淳、安藤元雄、愛読書は小林秀雄、とくに『無常という事』がバイブルだった。これに続いて富永太郎、中原中也、中村雄二郎。

私と随分違う。小説家との接点はない。ないと断定してはいけない。あまりなさそうだ。情熱をこめて読むのは詩だ。そして詩人の世界との交流だ。小説家というのは理屈っぽいところに面白さがあるのだが、詩人は直観、理屈のない好悪《こうお》が特徴だ。私は小説は長いのが大好きだが、多田先生はそんなの読んだら酒飲めねえと言いそうだ。

詩は並列である。沢山の詩が大小さまざまに並んでいる。小説は織物である。縦糸横糸が切れずにどこまでも続いている。物語の構成は、二十世紀になって精緻《せいち》になって、無限に続くようになった。そのあとに来た私の小説など、とんでもない代物《しろもの》である。

インドの混沌《こんとん》についての文章、よくわかる。生も死も善も悪も、複雑な多様性で並立している。あれは詩の国だ。私なりにそう思っていて、この文章がよく感得できた。

韓国が伝統芸能の宝庫であること、それが日本に伝達されたこと。よろしい同意します。私は七十五になったとき韓国語学校に通いだした。しかし四年経《た》って、学校が倒産してしまった。仕方なしに自習しているが、あの奥深い芸能の世界には漬かっている。だからなんどでも韓国に行く。仮面劇はかならず観ることにしている。安東《アンドン》の仮面劇、ものすごいものだ。

中国の話は出てこなかったが、あの整然とした権力構造の国は、とくに今は詩の世界から遠くなってしまった。多分、中国が出てこないのはそのせいだと勝手に思うことにした。むろん素晴らしい詩の国だ。いずれ詩人多田富雄に書いていただきたい気はする。

この本の終わりのほうに「真贋《しんがん》」というすばらしい短編が載っている。筋は言わないほうが礼儀でしょう。あっと驚く結末に、読者はびっくりする。

われながらとりとめのない「解説」である。書きおえて、忸怩《じくじ》たるものがあるが、書いてしまったのだから仕方がないではないか。

（平成二十一年三月、作家）

二〇〇二年八月に朝日新聞社より刊行された「懐かしい日々の想い」を、
文庫化に際し、分量を二分の一程度にまとめ、改題した。

新潮文庫最新刊

多田富雄著
生命の木の下で
ある時は人類の起源に想いを馳せ、ある時は日本の行く先を憂える。新作能の作者で、世界的免疫学者である著者が綴る珠玉の随筆集。

野口悠紀雄著
アメリカ型成功者の物語
ゴールドラッシュとシリコンバレー
ジーンズ発明者、鉄道王、銀行家、そして150年後、IT企業を起こした20代の若者たち。大金持ちはいかにして誕生するのか？

紅山雪夫著
添乗員ヒミツの参考書 魅惑のスペイン
スペインの魅力――それは豊かな郷土色にあります。添乗員もコッソリ読んでる！　どんな本よりも詳しく役に立つ歴史・観光ガイド。

関　裕二著
蘇我氏の正体
悪の一族、蘇我氏。歴史の表舞台から葬り去られた彼らは何者なのか？　大胆な解釈で明らかになる衝撃の出自。渾身の本格論考。

島村菜津著
スローフードな日本！
日本の食はまだまだ大丈夫！　日本全国、食の生みの親たちを追いかけ、その取り組みを徹底調査。おいしい未来に元気が湧きます。

小川和久著
聞き手・坂本衛
日本の戦争力
軍事アナリストが読み解く、自衛隊。北朝鮮。日米安保。オバマ政権が「日米同盟最重視」を打ち出した理由は、本書を読めば分かる！

生命《せいめい》の木《き》の下《した》で

新潮文庫　た－62－2

平成二十一年五月一日発行

著者　多《た》田《だ》富《とみ》雄《お》

発行者　佐藤隆信

発行所　株式会社　新潮社

郵便番号　一六二―八七一一
東京都新宿区矢来町七一
電話　編集部(〇三)三二六六―五四四〇
読者係(〇三)三二六六―五一一一
http://www.shinchosha.co.jp

価格はカバーに表示してあります。

乱丁・落丁本は、ご面倒ですが小社読者係宛ご送付ください。送料小社負担にてお取替えいたします。

印刷・株式会社光邦　製本・株式会社植木製本所

ISBN978-4-10-146922-5 C0195